tout chaud

tout chaud

marabout

Pour l'éditeur, le principe est d'utiliser des papiers composés de fibres naturelles, renouvelables, recyclables et fabriquées à partir de bois issus de forêts qui adoptent un système d'aménagement durable. En outre, l'éditeur attend de ses fournisseurs de papier qu'ils s'inscrivent dans une démarche de certification environnementale reconnue.

Publié pour la première fois en Australie en 2003 sous le titre *Hot Food*.

Traduit de l'anglais par Catherine Bricout
Mise en pages : Les PAOistes

© 2003 Murdoch Books
© 2008 Marabout (Hachette Livre) pour la traduction et l'adaptation de la présente édition

Crédits photos :
pages 2-3 © aida ricciardiello / shutterstock
ci-contre © Dori O'Connell / shutterstock
pages 6-7 © rgbspace / shutterstock
pages 58-59 © Talya / shutterstock
pages 98-99 © wheatley / shutterstock
pages 148-149 © eAlisa / shutterstock
pages 192-193 © ahnhuynh / shutterstock
pages 236-237 © sagasan / shutterstock

Édition 01
Dépôt legal : janvier 2008
ISBN : 978-2-501-05734-9
Codif : 40 4569 6
Imprimé en Espagne par Quebecor-Cayfosa

sommaire

soupes

soupe poireaux pommes de terre

Pour **6 personnes**

50 g de **beurre**
1 **oignon** finement haché
3 blancs de **poireaux**
    émincés
1 branche de **céleri**
    finement hachée
1 gousse d'**ail**
    finement hachée
200 g de **pommes de terre**
    râpées
750 ml de **bouillon** de volaille
220 ml de **crème fraîche**
2 c. à s. de **ciboulette** ciselée
sel et **poivre blanc** du moulin

Faites fondre le beurre dans une casserole et ajoutez l'oignon, les blancs de poireaux, le céleri et l'ail. Couvrez la casserole et laissez cuire 15 minutes à feu doux, en remuant de temps en temps, jusqu'à ce que les légumes soient tendres. Ajoutez les pommes de terre et le bouillon, puis portez à ébullition.

Réduisez le feu, couvrez et laissez mijoter 20 minutes. Retirez la soupe du feu, laissez-la reposer quelques minutes, puis mixez-la.

Réchauffez la soupe jusqu'au point d'ébullition, puis ajoutez la crème fraîche. Salez et poivrez. Servez la soupe bien chaude, parsemée de ciboulette.

Cette soupe est délicieuse froide. On peut donc la préparer quelques heures à l'avance.

soupe au pain et à la tomate

Pour 4 personnes

750 g de **tomates** bien mûres
450 g de **ciabatta** ou
  de pain de campagne, rassis
1 c. à s. d'**huile d'olive**
3 gousses d'**ail** pilées
1 c. à s. de **concentré
  de tomates**
1,25 l de **bouillon** de volaille
  chaud
4 c. à s. de feuilles de **basilic**
  ciselées
2 à 3 c. à s. d'**huile d'olive**
  vierge extra

Incisez la base des tomates en croix. Plongez-les dans un saladier d'eau bouillante pendant 1 minute, puis dans de l'eau froide, et pelez-les en partant de l'incision. Coupez les tomates en deux et épépinez-les à la petite cuillère. Hachez la chair.

Retirez la croûte du pain et jetez-la. Coupez la mie en cubes de 3 cm.

Faites chauffer l'huile dans une casserole. Ajoutez l'ail, les tomates et le concentré de tomates. Réduisez le feu et laissez mijoter 15 minutes en remuant de temps en temps, jusqu'à ce que la préparation épaississe. Versez le bouillon et faites bouillir 2 minutes en remuant. Baissez le feu au minimum, ajoutez le pain et continuez la cuisson pendant 5 minutes, en remuant toujours, jusqu'à ce que le pain ait absorbé presque tout le liquide. Ajoutez du bouillon ou de l'eau si nécessaire.

Incorporez le basilic et l'huile et laissez reposer 5 minutes, le temps que leur saveur se développe. Arrosez d'un filet d'huile d'olive.

Cette soupe est très populaire en Italie où on la déguste surtout en été, quand les tomates sont les plus savoureuses.

soupe de cresson

Pour **4 personnes**

30 g de **beurre**
1 **oignon** finement haché
625 ml de **bouillon** de volaille
250 g de **pommes de terre**
  coupées en dés
1 kg de **cresson** haché
125 ml de **crème fraîche**
125 ml de **lait**
noix de muscade râpée
sel et **poivre** du moulin
2 c. à s. de **ciboulette**
  hachée

Faites fondre le beurre dans une casserole et faites cuire l'oignon à feu doux, jusqu'à ce qu'il soit tendre. Versez le bouillon, ajoutez les pommes de terre et laissez frémir 12 minutes. Ajoutez enfin le cresson et prolongez la cuisson pendant 1 minute.

Retirez la casserole du feu et laissez tiédir, puis mixez la soupe jusqu'à obtention d'une texture lisse.

Faites chauffer la soupe à feu doux jusqu'au point d'ébullition, puis incorporez la crème et le lait. Salez et poivrez. Assaisonnez de noix de muscade. Mélangez la soupe sur le feu sans la laisser bouillir. Parsemez de ciboulette et servez.

velouté d'asperges

Pour **4 personnes**

725 g d'**asperges vertes**
  fraîches épluchées
1 c. à s. d'**huile végétale**
30 g de **beurre**
1 gros **oignon rouge**
  finement haché
1 gros **poireau** émincé
2 grosses **pommes de terre**
  coupées en dés de 1 cm
1,25 l de **bouillon** de volaille
80 ml de **crème fraîche**
90 g de **crème aigre**
1 c. à s. de **ciboulette** ciselée
60 g de **parmesan** frais râpé

Hachez grossièrement 600 g d'asperges et coupez le reste en tronçons de 6 cm. Faites chauffer l'huile et le beurre dans une casserole et faites fondre l'oignon et le poireau 5 minutes. Ajoutez les pommes de terre, les asperges hachées et le bouillon de volaille. Portez à ébullition, puis baissez le feu et laissez frémir 8 minutes, jusqu'à ce que les légumes soient tendres. Faites blanchir les tronçons d'asperges dans une casserole d'eau bouillante.

Laissez refroidir la soupe et mixez-la. Incorporez la crème fraîche et laissez mijoter 1 à 2 minutes, jusqu'à ce que la préparation soit bien chaude. Salez et poivrez. Ajoutez au dernier moment la crème aigre, les asperges blanchies et la ciboulette.

Pour les chips de parmesan, préchauffez le four à 190 °C. Tapissez trois plaques de papier sulfurisé et disposez 4 cercles à œufs de 9 cm de diamètre sur chaque plaque. Répartissez 5 g de parmesan râpé au centre de chaque couronne, en couche fine. Enfournez 5 minutes, jusqu'à ce que le parmesan soit fondu et juste doré. Laissez refroidir et servez avec la soupe.

velouté potiron carotte

Pour **4 à 6 personnes**

40 g de **beurre**
1 gros **oignon** haché
2 gousses d'**ail** pilées
500 g de **carottes** émincées
125 ml de **jus d'orange**
750 g de **potiron** épluché
   et grossièrement haché
1,5 l de **bouillon** de volaille
sel et **poivre** du moulin
1 c. à s. de **ciboulette** ciselée

Faites fondre le beurre dans une casserole et laissez blondir l'oignon 5 minutes, jusqu'à ce qu'il soit tendre. Ajoutez l'ail et les carottes et faites cuire encore 5 minutes. Versez le jus d'orange et portez à ébullition. Incorporez le potiron, le bouillon et 500 ml d'eau. Portez à ébullition, puis réduisez le feu et laissez mijoter 30 minutes, jusqu'à ce que le potiron et la carotte soient tendres.

Mixez la soupe jusqu'à ce qu'elle soit lisse. Ajoutez un peu de bouillon si vous la préférez plus liquide.

Transvasez la préparation dans une casserole et faites réchauffez à feu moyen. Salez et poivrez à votre convenance. Versez la soupe dans des bols de service et parsemez de ciboulette.

soupe de courgettes

Pour 4 personnes

60 g de **beurre**
2 gros blancs de **poireaux**
  émincés
4 gousses d'**ail** pilées
1,25 kg de **courgettes**
  grossièrement râpées
1,75 l de **bouillon** de volaille
80 ml de **crème fraîche**
sel et **poivre noir** du moulin
pain au lard

Faites fondre le beurre dans une casserole et faites revenir le poireau 2 à 3 minutes, jusqu'à ce qu'il devienne tendre. Réduisez le feu, ajoutez l'ail et laissez cuire 10 minutes à couvert, en remuant de temps en temps.

Incorporez les courgettes et faites cuire 4 à 5 minutes. Versez le bouillon de volaille et portez à ébullition. Réduisez le feu et laissez mijoter 20 minutes.

Laissez tiédir la préparation, puis passez-la au mixeur. Incorporez la crème et réchauffez la soupe à feu doux. Salez et poivrez à votre goût. Servez la soupe accompagnée de pain au lard ou de pain de campagne.

soupe de chou-fleur aux amandes

Pour 4 personnes

75 g d'**amandes** mondées
1 c. à s. d'**huile d'olive**
1 blanc de **poireau** haché
2 gousses d'**ail** pilées
1 kg de **chou-fleur**
   détaillé en fleurettes
370 g de **pommes de terre**
   coupées en dés de 1,5 cm
1,75 l de **bouillon** de volaille

Pains au fromage
4 petits **pains ronds**
40 g de **beurre** ramolli
125 de **cheddar** râpé
50 g de **parmesan** râpé

Faites chauffer le four à 180 °C. Étalez les amandes sur une plaque allant au four et faites-les griller 5 minutes.

Faites chauffer l'huile dans une casserole et faites fondre le poireau 2 à 3 minutes. Ajoutez l'ail, laissez-le cuire 30 secondes, puis incorporez le chou-fleur, les pommes de terre et le bouillon. Portez à ébullition, puis réduisez le feu et laissez mijoter 15 minutes, jusqu'à ce que les légumes soient tendres. Laissez refroidir 5 minutes.

Mixez la soupe avec les amandes. Salez et poivrez, puis réchauffez-la à feu moyen sans la laisser bouillir. Servez aussitôt avec les petits pains au fromage.

Pour les pains au fromage, coupez les petits pains en deux et beurrez-les. Mélangez le parmesan et le cheddar et étalez ce mélange sur les moitiés de pain. Fermez les petits pains et enveloppez-les dans du papier d'aluminium. Faites-les cuire au four 15 à 20 minutes, jusqu'à ce que le fromage soit fondu.

soupe de patates douces

Pour **4 à 6 personnes**

40 g de **beurre**
2 **oignons** hachés
2 gousses d'**ail** pilées
1 kg de **patates douces**
   à chair orangée épluchées
   et hachées
1 grosse branche de **céleri**
   hachée
1 grosse **pomme verte**
   épluchée et hachée
1 c. à s. de **cumin** en poudre
2 l de **bouillon** de volaille
sel et **poivre noir** du moulin
125 g de **yaourt** brassé

Faites fondre le beurre dans une casserole et faites revenir l'oignon 10 minutes, jusqu'à ce qu'il soit tendre. Incorporez l'ail, les patates douces, le céleri, la pomme et 1 cuillerée à café de cumin. Laissez cuire 5 à 7 minutes en remuant régulièrement. Versez le bouillon de volaille, ajoutez le reste de cumin et portez à ébullition. Réduisez le feu et laissez frémir 25 à 30 minutes, jusqu'à ce que la patate douce soit tendre.

Laissez tiédir et passez la préparation au mixeur. Réchauffez-la à feu moyen. Salez et poivrez. Répartissez la soupe dans les bols de service et garnissez-la de yaourt.

velouté de maïs au poulet

Pour **4 à 6 personnes**

20 g de **beurre**
1 c. à s. d'**huile d'olive**
500 g de chair
  de **cuisse de poulet**
  émincée
2 gousses d'**ail** pilées
1 **poireau** haché
1 grosse branche de **céleri**
  hachée
1 feuille de **laurier**
½ c. à c. de **thym**
1 l de **bouillon** de volaille
60 ml de **cognac**
550 g de grains de **maïs**
1 grosse **pomme de terre**
  à chair farineuse coupée
  en dés de 1 cm
185 ml de **crème fraîche**
sel et **poivre** du moulin
crème fraîche
ciboulette

Faites fondre le beurre avec l'huile dans une casserole et faites cuire le poulet en plusieurs fois, pendant 3 minutes, jusqu'à ce qu'il soit doré. Mettez-le dans un récipient, couvrez-le et réservez au frais.

Baissez le feu sous la casserole et ajoutez l'ail, le poireau, le céleri, le laurier et le thym. Laissez cuire 2 minutes. Versez le bouillon, le cognac et 500 ml d'eau. Grattez le fond de la casserole pour dissoudre les sucs de cuisson, puis ajoutez les grains de maïs et la pomme de terre et portez à ébullition. Réduisez le feu et laissez frémir pendant 1 heure, en écumant régulièrement. Laissez tiédir.

Retirez la feuille de laurier et passez la soupe au mixeur. Incorporez la crème fraîche et le poulet, puis réchauffez la soupe sans la laisser bouillir. Arrosez d'un peu de crème et décorez de ciboulette ciselée.

soupe de pois chiches

Pour 4 à 6 personnes

1 c. à s. d'**huile d'olive**
1 gros **oignon** haché
5 gousses d'**ail** pilées
1 grosse **carotte** hachée
1 feuille de **laurier**
2 branches de **céleri** hachées
1 c. à c. de **cumin** en poudre
½ c. à c. de **cannelle**
  en poudre
1,25 l de **bouillon** de volaille
3 boîtes de 425 g
  de **pois chiches**, égouttés
  et rincés
1 c. à s. de **persil** plat haché
1 c. à s. de feuilles
  de **coriandre** hachées
2 c. à s. de **jus de citron**
huile d'olive vierge extra

Pain pita aux épices
40 g de **beurre**
2 c. à s. d'**huile d'olive**
2 gousses d'**ail** pilées
1 pincée de **cumin** en poudre
1 pincée de **cannelle**
  en poudre
1 pincée de **piment**
  de Cayenne
½ c. à c. de **fleur de sel**
4 petits **pains pita**
  coupés en deux

Faites chauffer l'huile dans une casserole et faites fondre l'oignon 3 à 4 minutes. Ajoutez l'ail, la carotte, le laurier et le céleri. Laissez cuire encore 4 minutes, jusqu'à ce que les légumes commencent à se colorer.

Incorporez le cumin et la cannelle et laissez cuire 1 minute. Ajoutez le bouillon, 1 litre d'eau et les pois chiches. Portez à ébullition, puis réduisez le feu et laissez frémir 1 heure. Mettez à refroidir.

Retirez la feuille de laurier et passez la soupe au mixeur. Réchauffez-la à feu moyen en remuant régulièrement. Incorporez le persil, la coriandre et le jus de citron. Salez et poivrez. Arrosez d'un filet d'huile d'olive.

Pour le pain pita aux épices, faites fondre le beurre avec l'huile dans une casserole. Ajoutez l'ail, le cumin, la cannelle, le piment et la fleur de sel et laissez cuire 1 minute. Placez les pains pita sur une plaque tapissée de papier sulfurisé et passez-les sous le gril 1 à 2 minutes. Quand ils sont bien dorés, retournez-les et badigeonnez-les de beurre épicé. Faites-les dorer sous le gril et servez-les avec la soupe.

Le pain pita est un pain libanais plat, que l'on peut ouvrir et garnir à sa convenance.

soupe aigre-douce au bœuf

Pour 4 personnes

1 l de **bouillon** de volaille
2 tiges de **citronnelle**
  coupées en deux
3 gousses d'**ail** pilées
2 morceaux de **gingembre**
  émincés
90 g de **coriandre**
  en branches, tiges effeuillées,
  feuilles hachées
4 **oignons de printemps**
  émincés en biseau
2 zestes de **citron vert**
2 **étoiles de badiane**
3 petits **piments rouges**
  épépinés et finement
  hachés
500 g de **steak** dans le filet
2 c. à s. de **nuoc-mâm**
1 c. à s. de **sucre de palme**
  ou de sucre roux en poudre
sel et **poivre noir** du moulin
2 c. à s. de jus de **citron vert**
feuilles de **coriandre**

Versez le bouillon dans une casserole, ajoutez la citronnelle, l'ail, le gingembre, les tiges de coriandre, la moitié des oignons de printemps, les zestes de citron, la badiane, 1 cuillerée à café de piment et 1 litre d'eau. Portez à ébullition, puis baissez le feu et couvrez. Laissez frémir 25 minutes. Filtrez le bouillon.

Faites chauffer un gril en fonte. Badigeonnez la viande d'un peu d'huile et faites-la saisir rapidement des deux côtés.

Réchauffez le bouillon, ajoutez le nuoc-mâm et le sucre de palme. Salez et poivrez. Arrosez de jus de citron vert.

Ajoutez le reste des oignons de printemps et les feuilles de coriandre hachées. Coupez le bœuf en fines lamelles et disposez-les dans les bols de service. Versez le bouillon et décorez avec le reste des piments et des feuilles de coriandre entières.

soupe chinoise au canard laqué

Pour **4 à 6 personnes**

3 **champignons shiitake**
  déshydratés
1 **canard laqué** (1,5 kg)
500 ml de **bouillon** de volaille
2 c. à s. de **sauce de soja**
  claire
1 c. à s. de **vin de riz chinois**
2 c. à c. de **sucre**
400 g de **nouilles de riz**
  fraîches
2 c. à s. d'**huile**
3 **oignons de printemps**
  émincés
1 c. à c. de **gingembre**
  finement haché
400 g de **chou chinois**
  nettoyé et détaillé en feuilles
¼ c. à c. d'**huile de sésame**

Mettez les champignons shiitake dans un récipient résistant à la chaleur, couvrez-les de 250 ml d'eau bouillante et laissez tremper 20 minutes. Égouttez-les en pressant bien pour éliminer l'eau. Réservez l'eau de trempage. Jetez les tiges fibreuses et émincez les chapeaux.

Désossez le canard et émincez la chair et la peau. Jetez les os.

Versez le bouillon, la sauce de soja, le vin de riz, le sucre et l'eau de trempage des champignons dans une casserole. Faites frémir pendant 5 minutes. Pendant ce temps, mettez les nouilles dans un saladier résistant à la chaleur, couvrez-les d'eau bouillante et laissez-les tremper quelques minutes. Séparez délicatement les nouilles à la fourchette et égouttez-les soigneusement. Répartissez-les dans les bols de service.

Faites chauffer l'huile dans un wok et faites revenir les oignons de printemps, le gingembre et les champignons, jusqu'à ce qu'ils soient dorés. Mettez-les dans la casserole avec le chou et le canard et laissez mijoter 1 minute. Versez la soupe sur les nouilles et arrosez d'un filet d'huile de sésame. Servez aussitôt.

Originaires de Chine et du Japon, les champignons shiitake ont un goût très relevé. On les trouve souvent séchés dans les épiceries asiatiques.

soupe vietnamienne au bœuf

Pour **4 personnes**

400 g de **rumsteck**
3 **oignons de printemps**
   émincés
2 c. à s. de **nuoc-mâm**
1 **étoile de badiane**
1 bâton de **cannelle**
poivre blanc du moulin
1,5 l de **bouillon** de bœuf
300 g de **nouilles de riz**
   fraîches
1 tige d'**oignon**
   de printemps ciselée
15 g de feuilles
   de **menthe vietnamienne**
   ou de **coriandre**
90 g de **germes de soja**
1 petit **piment rouge**
   émincé en biseau
quartiers de **citron**

Enveloppez le rumsteck de film alimentaire et congelez-le pendant 40 minutes.

Pendant ce temps, mettez les oignons, le nuoc-mâm, la badiane, la cannelle, le poivre, le bouillon et 500 ml d'eau dans une casserole. Portez à ébullition, puis réduisez le feu, couvrez et laissez frémir 20 minutes. Filtrez le bouillon.

Couvrez les nouilles d'eau bouillante et séparez-les délicatement à la fourchette. Égouttez-les et passez-les sous l'eau froide.

Sortez la viande du congélateur et coupez-la en fines lamelles. Répartissez les nouilles et la tige d'oignon de printemps dans les bols de service. Ajoutez le bœuf, la menthe, les germes de soja et le piment. Versez le bouillon chaud et servez avec des quartiers de citron.

soupe aux spaghettis et au bœuf

Pour **4 personnes**

150 g de **spaghettis**
en tronçons de 8 cm
1,5 l de **bouillon** de volaille
3 c. à c. de **concentré**
de tomates
400 g de **tomates**
concassées en conserve
3 c. à s. de feuilles
de **basilic** ciselées
copeaux de **parmesan**

Boulettes de viande
1 c. à s. d'**huile**
1 **oignon** finement haché
2 gousses d'**ail** pilées
500 g de **bœuf** maigre haché
3 c. à s. de **persil** plat
finement haché
3 c. à s. de **chapelure**
2 c. à s. de **parmesan** frais
finement râpé
1 **œuf** légèrement battu
sel et **poivre** du moulin

Faites cuire les spaghettis dans un grand volume d'eau bouillante salée jusqu'à ce qu'ils soient al dente. Égouttez-les. Versez le bouillon et 500 ml d'eau dans une casserole et portez à frémissement.

Pendant ce temps, préparez les boulettes de viande. Faites chauffer l'huile dans une poêle et faites fondre l'oignon 2 à 3 minutes. Ajoutez l'ail et faites-le cuire 30 secondes. Laissez refroidir. Incorporez la viande hachée, le persil, la chapelure, le parmesan et l'œuf. Salez et poivrez, puis mélangez bien. Façonnez 40 boulettes.

Versez le concentré de tomates et les tomates dans le bouillon et laissez frémir 2 à 3 minutes. Plongez les boulettes dedans, revenez au point de frémissement et laissez mijoter 10 minutes, jusqu'à ce que les boulettes soient cuites. Ajoutez les spaghettis et le basilic. Réchauffez la soupe sans la laisser bouillir. Parsemez de copeaux de parmesan au moment de servir.

soupe piquante aux crevettes

Pour **4 personnes**

1 kg de **crevettes** crues,
de taille moyenne
1 c. à s. d'**huile d'olive**
2 c. à s. de **pâte de piment**
2 blancs de **citronnelle**
écrasés
4 feuilles de **citronnier kaffir**
(citron vert thaïlandais)
3 petits **piments rouges**
émincés
80 à 100 ml de **nuoc-mâm**
80 à 100 ml de **jus
de citron vert**
2 c. à c. de **sucre de palme**
ou de sucre roux en poudre
4 **oignons de printemps**
émincés
4 c. à s. de feuilles
de **coriandre**

Décortiquez les crevettes en gardant l'extrémité de la queue et retirez la veine dorsale. Réservez les têtes et les carapaces. Couvrez les crevettes et mettez-les au réfrigérateur.

Versez l'huile dans un wok préchauffé et faites cuire 8 minutes les têtes et les carapaces, jusqu'à ce qu'elles aient changé de couleur.

Ajoutez la pâte de piment et 60 ml d'eau. Laissez mijoter 1 minute, jusqu'à ce que le mélange embaume. Versez 2 litres d'eau, portez à ébullition, puis réduisez le feu et laissez frémir 20 minutes. Filtrez le bouillon, puis remettez-le dans le wok.

Ajoutez les crevettes, la citronnelle, les feuilles de citronnier kaffir et le piment rouge. Laissez frémir 4 à 5 minutes. Incorporez le nuoc-mâm, le jus de citron vert, le sucre, les oignons de printemps et la coriandre. Retirez la citronnelle et servez aussitôt.

soupe grecque au poulet

Pour **4 personnes**

1 **carotte** hachée
1 gros **poireau** haché
2 feuilles de **laurier**
2 blancs de **poulet**
2 l de **bouillon** de volaille
75 g de **riz à grain rond**
3 **œufs**, blanc et jaune
  séparés
80 ml de **jus de citron**
2 c. à s. de **persil** haché
40 g de **beurre** en copeaux

Mettez la carotte, le poireau, le laurier, les blancs de poulet et le bouillon dans une casserole. Portez à ébullition, puis réduisez le feu et laissez frémir 10 à 15 minutes. Passez le jus de cuisson dans une casserole propre et réservez le poulet.

Versez le riz dans la casserole, portez à ébullition, puis réduisez le feu et laissez frémir 15 minutes. Coupez le poulet en dés de 1 cm.

Battez les blancs d'œufs en neige ferme. Sans cesser de battre, incorporez les jaunes jusqu'à obtention d'une mousse légère. Ajoutez le jus de citron, puis 250 ml de soupe. Retirez la soupe du feu et versez-la délicatement sur les œufs en remuant sans cesse. Remettez le tout dans la casserole, ajoutez le poulet et réchauffez la soupe sans la laisser bouillir. Décorez de persil et de copeaux de beurre et servez aussitôt.

Cette soupe se prépare au dernier moment.

minestrone

Pour **6 personnes**

200 g de **haricots secs**
50 g de **beurre**
1 gros **oignon** haché
1 gousse d'**ail** hachée
15 g de **persil** haché
2 feuilles de **sauge**
100 g de **bacon** émincé
2 branches de **céleri**
  émincées
2 **carottes** émincées
3 **pommes de terre**
1 c. à c. de **concentré
de tomates**
400 g de **tomates**
  concassées
8 feuilles de **basilic**
sel et **poivre** du moulin
3 l de **bouillon** de volaille
2 **courgettes** émincées
210 g de **petits pois**
115 g de **haricots verts**
  coupés en tronçons de 4 cm
¼ de **chou blanc** émincé
150 de petits **macaronis**
parmesan râpé

Pesto
2 gousses d'**ail** pilées
50 g de **pignons** de pin
80 g de feuilles de **basilic**
4 c. à s. de **parmesan** râpé
150 ml d'**huile d'olive**
  vierge extra
sel et **poivre** du moulin

Faites tremper les haricots secs toute une nuit dans de l'eau froide. Égouttez-les et rincez-les.

Faites fondre le beurre dans un faitout et faites revenir l'oignon, l'ail, le persil, la sauge et le bacon. Laissez cuire 10 minutes à feu doux en remuant régulièrement.

Ajoutez les branches de céleri, les carottes et les pommes de terre et poursuivez la cuisson pendant 5 minutes. Incorporez le concentré de tomates, les tomates concassées, le basilic et les haricots secs. Salez et poivrez. Versez le bouillon et portez à ébullition. Couvrez et laissez frémir 2 heures.

Écrasez grossièrement les pommes de terre à la fourchette. Rectifiez l'assaisonnement. Ajoutez la courgette, les petits pois, les haricots verts, le chou et les pâtes. Laissez frémir jusqu'à ce que les pâtes soient al dente.

Pendant ce temps, mixez l'ail, les pignons de pin, le basilic et le parmesan jusqu'à obtention d'une pâte lisse. Incorporez l'huile en filet régulier, sans cesser de mixer. Assaisonnez à votre goût. Servez la soupe avec le pesto et le parmesan.

soupe de poisson au maïs

Pour **4 personnes**

2 épis de **maïs** frais
1 c. à s. d'**huile d'olive**
1 **oignon rouge**
  finement haché
1 petit **piment rouge**
  finement haché
½ c. à c. de **piment
  de la Jamaïque** en poudre
1,5 l de **bouillon** de volaille
  léger
4 **tomates** pelées
  et concassées
300 g de filets de **poisson
  blanc** coupés en cubes
200 g de **chair de crabe**
  fraîche
200 g de **crevettes**
  crues décortiquées
  et grossièrement hachées
1 c. à s. de **jus de citron vert**

Quesadillas
4 **tortillas**
85 g de **cheddar** râpé
4 c. à s. de feuilles
  de **coriandre**
2 c. à s. d'**huile d'olive**
sel et **poivre** du moulin

Faites chauffer le four à 200 °C. Rabattez la gaine des épis, en prenant soin qu'elle reste intacte à la base, et retirez les soies. Repliez la gaine sur les épis, placez ceux-ci dans un plat et faites-les cuire 1 heure au four.

Faites chauffer l'huile dans une casserole et faites revenir l'oignon. Incorporez le piment rouge et le piment de la Jamaïque et laissez cuire 1 minute, puis versez le bouillon. Ajoutez les tomates et portez à ébullition. Réduisez le feu, couvrez et laissez frémir 45 minutes.

Détachez les grains de maïs avec un couteau pointu, ajoutez-les dans la soupe et laissez frémir 15 minutes sans couvrir. Ajoutez le poisson, le crabe et les crevettes et poursuivez la cuisson pendant 5 minutes.

Garnissez 2 tortillas de fromage et de coriandre. Salez et poivrez. Recouvrez le tout avec les autres tortillas. Faites chauffer l'huile dans une poêle et faites revenir les tortillas 30 secondes de chaque côté, jusqu'à ce que le fromage soit fondu. Coupez-les en quartiers. Arrosez la soupe de jus de citron vert et servez-la avec les quartiers de quesadillas.

soupe marocaine à l'agneau

Pour **4 à 6 personnes**

165 g de **pois chiches** secs
1 c. à s. d'**huile d'olive**
850 g de gigot d'**agneau**
  désossé coupé en dés
  de 1 cm
2 gousses d'**ail** pilées
1 **oignon** moyen émincé
½ c. à c. de **cannelle**
  en poudre
½ c. à c. de **curcuma**
  en poudre
½ c. à c. de **gingembre**
  en poudre
sel et **poivre** du moulin
4 c. à s. de feuilles
  de **coriandre** ciselées
800 g de **tomates**
  concassées en conserve
1 l de **bouillon** de volaille
160 g de **lentilles**
  en conserve, rincées
  feuilles de **coriandre**

Faites tremper les pois chiches toute une nuit dans l'eau froide. Égouttez-les et rincez-les.

Faites chauffer l'huile dans une casserole et faites revenir l'agneau 2 à 3 minutes, jusqu'à ce qu'il se colore. Réduisez le feu, ajoutez l'oignon et l'ail et laissez cuire 5 minutes. Ajoutez la cannelle, le curcuma et le gingembre, salez et poivrez et poursuivez la cuisson pendant 2 minutes. Versez le bouillon et 500 ml d'eau, puis ajoutez les tomates et la coriandre. Portez à ébullition.

Ajoutez les lentilles et les pois chiches, couvrez et laissez frémir 1 h 30. Retirez le couvercle et prolongez la cuisson pendant 30 minutes, jusqu'à épaississement. Salez et poivrez. Décorez de feuilles de coriandre et servez aussitôt.

soupe ramen au porc et au maïs

Pour **4 personnes**

200 g de **porc au barbecue**
(char sui)
2 petits épis de **maïs** frais
(550 g)
200 g de **nouilles ramen**
(nouilles japonaises au blé)
2 c. à c. d'**huile d'arachide**
1 c. à c. de **gingembre** râpé
1,5 l de **bouillon** de volaille
2 c. à s. de **mirin**
(vin de riz doux)
2 **oignons de printemps**
émincés
20 g de **beurre doux**
(facultatif)
1 tige d'**oignon
de printemps** ciselée

Coupez le porc en fines tranches. Retirez les grains de maïs à l'aide d'un couteau pointu.

Faites cuire les nouilles 4 minutes dans un grand volume d'eau bouillante salée. Égouttez-les puis rincez-les à l'eau froide.

Faites chauffer l'huile dans une casserole et faites revenir le gingembre 1 minute. Versez le bouillon et le mirin et portez à ébullition. Réduisez le feu et laissez frémir 8 minutes.

Ajoutez le porc et laissez cuire 5 minutes, puis ajoutez le maïs et les oignons de printemps, et poursuivez la cuisson 4 à 5 minutes, jusqu'à ce que le maïs soit tendre.

Séparez les nouilles à la fourchette, puis répartissez-les dans les bols de service. Versez la soupe dessus et ajoutez une noix de beurre dans chaque bol, sans mélanger. Décorez avec les tiges d'oignon de printemps et servez aussitôt.

Le porc au barbecue est une recette chinoise. La viande est mise à mariner, puis rôtie au four dans un récipient couvert pendant 2 heures. Ce mode de cuisson s'applique également au canard. Vous trouverez du porc au barbecue tout prêt dans les magasins asiatiques.

soupe de tomates à l'italienne

Pour 4 à 6 personnes

2 c. à s. d'**huile végétale**
2 c. à s. d'**huile d'olive**
2 **oignons rouges** hachés
2 gousses d'**ail** pilées
1 c. à s. de **cumin** en poudre
¼ c. à c. de **piment
   de Cayenne** en poudre
2 c. à c. de **paprika**
2 **poivrons rouges**
   coupés en dés
90 g de **concentré
   de tomates**
250 ml de **vin blanc sec**
500 ml de **bouillon** de volaille
800 g de **tomates**
   concassées en conserve
2 **piments rouges** longs
   épépinés et hachés
sel et **poivre** du moulin
3 c. à s. de **persil** plat haché
4 c. à s. de feuilles
   de **coriandre** hachées

Polenta aux olives
500 ml de **bouillon** de volaille
   ou de légumes
185 g de **polenta**
100 g d'**olives noires**
   dénoyautées et hachées
125 ml d'**huile d'olive**,
   pour la friture

Faites chauffer les deux huiles dans une casserole et faites revenir l'oignon et l'ail 2 à 3 minutes.

Réduisez le feu, ajoutez le cumin, le piment de Cayenne et le paprika et laissez mijoter 5 minutes. Ajoutez les poivrons et poursuivez la cuisson pendant 5 minutes. Incorporez le concentré de tomates et le vin, laissez frémir 2 minutes. Versez le bouillon et 500 ml d'eau, ajoutez les tomates et le piment. Salez et poivrez. Laissez frémir 20 minutes. Mixez la soupe avec le persil et la coriandre.

Pour la polenta, portez à ébullition le bouillon et 500 ml d'eau dans une casserole. Versez la polenta en pluie fine et remuez jusqu'à obtention d'une pâte lisse. Réduisez le feu au plus bas. Laissez cuire 15 à 20 minutes en remuant sans cesse, jusqu'à ce que la polenta se détache de la paroi. Incorporez les olives, mélangez bien, puis versez cette purée dans un plat rectangulaire graissé. Lissez la surface, couvrez et laissez refroidir 30 minutes. Coupez la polenta en bâtonnets. Faites chauffer l'huile dans une sauteuse et faites frire ces bâtonnets en plusieurs fois, jusqu'à ce qu'ils soient dorés. Égouttez-les et servez-les avec la soupe.

soupe de légumes au poulet

Pour **4 à 6 personnes**

1 **poulet** de 1,5 kg
1 **oignon**
2 gros **poireaux** coupés
en deux dans le sens
de la longueur
3 grosses branches
de **céleri**
5 grains de **poivre noir**
1 feuille de **laurier**
2 grosses **carottes**
coupées en dés
1 gros **rutabaga**
coupé en dés
2 grosses **tomates** pelées,
épépinées et coupées
en dés
165 g d'**orge**
1 c. à s. de **concentré
de tomates**
2 c. à s. de **persil** plat
finement haché

Mettez le poulet, l'oignon, 1 poireau, 1 branche
de céleri coupée en deux, les grains de poivre et
le laurier dans une casserole. Couvrez d'eau et portez
à ébullition, puis réduisez le feu et laissez frémir 1 h 30,
en écumant régulièrement.

Passez le bouillon au tamis fin. Réservez le poulet et
laissez-le refroidir, puis désossez-le et détaillez la chair
en fines lanières. Réservez au réfrigérateur.

Laissez refroidir le bouillon et laissez-le reposer une nuit
entière au réfrigérateur. Dégraissez-le, puis versez-le
dans une casserole et portez à ébullition. Coupez
en dés le poireau et le céleri restants et ajoutez-les
dans la soupe avec les carottes, le rutabaga, les tomates,
l'orge et le concentré de tomates. Laissez frémir
40 à 45 minutes, jusqu'à ce que l'orge soit tendre.
Ajoutez le poulet et le persil. Réchauffez la soupe.
Salez et poivrez.

soupe à l'oignon

Pour **6 personnes**

50 g de **beurre**
750 g d'**oignons**
  finement hachés
2 gousses d'**ail**
  finement hachées
45 g de **farine**
2 l de **bouillon** de bœuf
  ou de volaille
250 ml de **vin blanc**
1 feuille de **laurier**
2 brins de **thym**
sel et **poivre** du moulin
12 tranches de **baguette**
100 g de **parmesan** râpé

Faites fondre le beurre dans une casserole à fond épais et faites revenir les oignons à feu doux pendant 25 minutes.

Incorporez l'ail et la farine en remuant sans cesse, puis versez progressivement le bouillon et le vin. Portez à ébullition. Ajoutez le laurier et le thym, salez et poivrez. Couvrez et laissez frémir 25 minutes. Retirez la feuille de laurier et le thym. Rectifiez l'assaisonnement. Faites chauffer le gril du four.

Faites griller les tranches de pain, puis répartissez-les dans les bols de service. Versez la soupe dessus, parsemez de parmesan râpé et passez les bols sous le gril, jusqu'à ce que le fromage soit fondu et légèrement doré. Servez aussitôt.

soupe aux haricots rouges

Pour **4 personnes**

230 g de **haricots rouges**
1 c. à s. d'**huile végétale**
1 **oignon** finement haché
1 **poireau** finement haché
2 gousses d'**ail** pilées
2 c. à c. de **cumin** en poudre
4 tranches de **bacon**
  émincées
1 l de **bouillon** de volaille
sel et **poivre noir** du moulin
90 g de **crème aigre**
2 c. à s. de **ciboulette** ciselée

Faites tremper les haricots rouges toute une nuit dans l'eau froide. Égouttez-les et rincez-les.

Faites chauffer l'huile dans une casserole et faites revenir l'oignon, le poireau et l'ail pendant 3 minutes. Ajoutez le cumin et le bacon et prolongez la cuisson pendant 2 à 3 minutes, en remuant sans cesse, jusqu'à ce que le mélange embaume.

Versez le bouillon et 500 ml d'eau, ajoutez les haricots et portez à ébullition. Réduisez le feu et laissez frémir 1 heure. Salez et poivrez.

Laissez refroidir et mixez la moitié de la soupe. Mélangez-la avec la soupe non mixée et réchauffez le tout à feu doux, sans laisser bouillir. Versez la soupe dans les bols de service, décorez de crème aigre et de ciboulette. Servez aussitôt.

soupe aux pâtes et aux haricots

Pour **4 personnes**

200 g de **haricots rouges** secs
60 ml d'**huile d'olive**
90 g de **bacon** émincé
1 **oignon** finement haché
2 gousses d'**ail** pilées
1 branche de **céleri** émincée
1 **carotte** coupée en dés
sel et **poivre** noir du moulin
1 feuille de **laurier**
1 brin de **romarin**
1 brin de **persil** plat
400 g de **tomates** concassées en conserve
1,5 l de **bouillon** de légumes
2 c. à s. de **persil** plat, finement haché
150 g de petits **macaronis**
huile d'olive vierge extra
parmesan frais râpé

Faites tremper les haricots une nuit entière dans l'eau froide. Égouttez et rincez.

Faites chauffer l'huile dans une casserole et faites dorer le bacon, l'oignon, l'ail, le céleri et la carotte. Salez et poivrez. Versez le bouillon, ajoutez le laurier, le romarin, le persil, les tomates et les haricots et portez à ébullition. Réduisez le feu et laissez frémir 1 h 30. Ajoutez au besoin de l'eau bouillante.

Retirez le laurier, le romarin et le persil. Prélevez 250 ml de soupe et mixez-la. Remettez la soupe mixée dans la casserole, salez et poivrez, puis ajoutez le persil et les pâtes. Laissez frémir 6 minutes, jusqu'à ce que les pâtes soient al dente. Retirez la casserole du feu et laissez reposer 10 minutes. Arrosez d'un filet d'huile d'olive et parsemez de parmesan râpé. Servez aussitôt.

plats
classiques

hachis Parmentier

Pour **6 personnes**

60 ml d'**huile d'olive**
1 gros **oignon**
   finement haché
2 gousses d'**ail** pilées
2 branches de **céleri**
   finement hachées
3 **carottes** coupées en dés
2 feuilles de **laurier**
1 c. à s. de **thym** haché
1 kg d'**agneau** haché
1 c. à s. de **farine**
125 ml de **vin rouge**
2 c. à s. de **concentré**
   de tomates
400 g de **tomates**
   concassées en conserve
1,5 kg de **pommes de terre**
   farineuses coupées
   en gros cubes
sel et **poivre** du moulin
60 ml de **lait**
100 g de **beurre**
½ c. à c. de **noix**
   de muscade en poudre

Faites chauffer 2 cuillerées à soupe d'huile dans une casserole à fond épais et faites fondre l'oignon 3 à 4 minutes. Ajoutez l'ail, le céleri, la carotte, les feuilles de laurier et le thym. Laissez cuire 2 à 3 minutes, puis transvasez le mélange dans un récipient. Retirez le laurier.

Versez le reste d'huile dans la casserole, ajoutez l'agneau et faites-le revenir 5 à 6 minutes à feu vif. Incorporez la farine en remuant bien, laissez cuire 1 minute, versez le vin rouge et poursuivez la cuisson 2 à 3 minutes. Remettez les légumes dans la casserole avec le concentré de tomates et la tomate. Baissez le feu, couvrez et laissez frémir 45 minutes. Salez et poivrez, puis transvasez le mélange dans un plat allant au four. Préchauffez le four à 180 °C.

Pendant ce temps, faites cuire les pommes de terre 20 à 25 minutes à l'eau ou à la vapeur. Quand elles sont tendres, égouttez-les, puis écrasez-les en purée, en incorporant le lait et le beurre petit à petit. Assaisonnez de noix de muscade et de poivre noir. Étalez la purée sur la viande hachée. Faites cuire 30 minutes au four, jusqu'à ce que le hachis soit doré et croustillant.

bœuf bourguignon

Pour **4 personnes**

1 kg de **bœuf** coupé en dés
30 g de **farine** salée
et poivrée
1 c. à s. d'**huile**
150 g de **bacon** coupé
en dés
8 bulbes d'**oignons
de printemps**
coupés en quartiers
200 g de **champignons
de Paris**
500 ml de **vin rouge**
2 c. à s. de **concentré
de tomates**
500 ml de **bouillon de bœuf**
1 **bouquet garni**

Farinez la viande et secouez-la pour éliminer l'excédent. Faites chauffer l'huile dans une casserole et faites dorer le bœuf 3 minutes de toutes parts. Retirez la viande de la casserole.

Faites dorer le bacon 2 minutes. Sortez-le avec une écumoire et joignez-le au bœuf. Dans la même casserole, faites revenir les oignons de printemps et les champignons pendant 5 minutes. Réservez.

Versez doucement le vin dans la casserole et grattez les sucs avec une cuiller en bois. Incorporez le concentré de tomates et le bouillon. Ajoutez le bouquet garni, le bœuf et le bacon. Portez à ébullition, puis réduisez le feu et laissez mijoter 45 minutes. Incorporez les oignons de printemps et les champignons et laissez cuire encore 1 heure. Servez le bourguignon avec des pommes vapeur ou de la purée.

Pour cette recette, vous pouvez mettre dans votre bouquet garni du laurier, du thym, du persil, des feuilles de céleri et des feuilles de poireau.

ratatouille

Pour 4 personnes

4 **tomates**
2 c. à s. d'**huile d'olive**
1 gros **oignon** coupé en dés
1 **poivron rouge**
   coupé en dés
1 **poivron jaune**
   coupé en dés
1 **aubergine** coupée en dés
2 **courgettes**
   coupées en dés
1 c. à c. de **concentré
   de tomates**
½ c. à c. de **sucre**
1 feuille de **laurier**
3 brins de **thym**
2 brins de **basilic**
sel et **poivre** du moulin
1 gousse d'**ail** pilée
1 c. à s. de **persil** haché

Pratiquez une incision au sommet de chaque tomate, plongez-les 20 secondes dans l'eau bouillante et pelez-les en partant de l'incision. Hachez-les grossièrement.

Faites chauffer l'huile dans une poêle et faites fondre l'oignon 5 minutes à feu doux. Ajoutez les poivrons et laissez mijoter 4 minutes, en remuant. Réservez.

Faites dorer les dés d'aubergine de toutes parts et retirez-les de la poêle. Procédez de même avec les courgettes, puis remettez l'oignon, les poivrons et les aubergines dans la poêle. Versez le concentré de tomates en remuant bien et laissez cuire 2 minutes. Ajoutez les tomates, le sucre, la feuille de laurier, le thym et le basilic, puis remuez. Salez et poivrez. Couvrez et laissez mijoter 15 minutes. Retirez la feuille de laurier, le thym et le basilic.

Mélangez l'ail et le persil et incorporez-les à la ratatouille au dernier moment. Remuez et servez aussitôt.

gratin de bœuf à la bière

Pour **6 personnes**

2 c. à s. d'**huile d'olive**
1,25 kg de **macreuse**
  en cubes de 3 cm
2 **oignons** émincés
2 tranches de **bacon**
  grossièrement hachées
4 gousses d'**ail** pilées
2 c. à s. de **farine**
440 ml de **bière brune**
375 ml de **bouillon** de bœuf
2 c. à s. de **thym** haché
sel et **poivre** du moulin
2 grosses **pommes de terre**
  émincées
huile d'olive

Faites chauffer 1 cuillerée à soupe d'huile d'olive dans une cocotte et faites dorer le bœuf, en remuant de temps en temps. Retirez-le de la cocotte, baissez le feu, versez le reste d'huile et faites revenir l'oignon et le bacon 10 minutes. Ajoutez l'ail et poursuivez la cuisson 1 minute. Remettez le bœuf dans le plat.

Saupoudrez la viande de farine, laissez cuire 1 minute en remuant sans cesse, puis versez progressivement la bière, sans cesser de remuer. Versez le bouillon, augmentez le feu et portez à ébullition. Incorporez le thym, salez et poivrez, puis réduisez le feu et laissez mijoter 2 heures.

Préchauffez le four à 200 °C. Graissez un plat allant au four et transférez la viande dedans. Recouvrez de tranches de pommes de terre, en les faisant se chevaucher, badigeonnez d'huile d'olive et saupoudrez de sel. Faites cuire 30 à 40 minutes au four, jusqu'à ce que les pommes de terre soient dorées.

tagine d'agneau

Pour **6 à 8 personnes**

1,5 kg d'**épaule d'agneau**,
  en cubes de 2,5 cm
3 gousses d'**ail** pilées
80 ml d'**huile d'olive**
2 c. à c. de **cumin**
  en poudre
1 c. à c. de **gingembre**
  en poudre
1 c. à c. de **curcuma**
  en poudre
1 c. à c. de **paprika**
½ c. à c. de **cannelle**
  en poudre
½ c. à c. de **poivre noir**
  moulu
1 c. à c. de **sel**
2 **oignons** émincés
580 ml de **bouillon** de bœuf
le zeste de ¼ de **citron**
  confit rincé et coupé
  en fines lamelles
425 g de **pois chiches**
  en conserve égouttés
35 g d'**olives vertes**
  concassées
3 c. à s. de feuilles
  de **coriandre** hachées

Mettez l'agneau dans un grand récipient en verre. Ajoutez l'ail, 2 cuillerées à soupe d'huile, le cumin, le gingembre, le curcuma, le paprika, la cannelle, le poivre noir et le sel. Mélangez bien et laissez reposer 1 heure.

Faites chauffer le reste d'huile dans une cocotte et faites revenir la viande 2 à 3 minutes à feu doux. Réservez. Faites cuire l'oignon 2 minutes, remettez la viande dans la casserole et versez le bouillon. Baissez le feu, couvrez et laissez mijoter 1 heure. Incorporez le zeste de citron, les pois chiches et les olives, et laissez cuire 30 minutes à découvert. Parsemez de coriandre. Servez le tagine avec de la semoule.

Vous pouvez aussi faire cuire l'agneau au four.

Après l'avoir fait revenir dans une sauteuse, mettez-le dans un plat en terre muni d'un couvercle ou dans un plat à tagine. Préchauffez le four à 190 °C et faites cuire le tagine 1 heure. Ajoutez le zeste de citron, les pois chiches et les olives au bout de 40 minutes de cuisson.

osso-buco

Pour **4 personnes**

10 tranches de **jarret de veau** épaisses
30 g de **farine** salée et poivrée
60 ml d'**huile d'olive**
60 g de **beurre**
1 gousse d'**ail** pilée
1 petite **carotte** finement hachée
1 gros **oignon** finement haché
½ branche de **céleri** finement hachée
250 ml de **vin blanc sec**
375 ml de **bouillon** de veau ou de bœuf
400 g de **tomates** concassées en conserve
1 **bouquet garni**
sel et **poivre** du moulin

Ficelez chaque tranche de veau pour maintenir la viande, puis saupoudrez de farine assaisonnée. Faites chauffer l'huile et le beurre avec l'ail dans une grande sauteuse à fond épais. Étalez les tranches de veau en une seule couche dans la sauteuse et faites-les dorer 12 à 15 minutes. Retirez la viande.

Faites cuire la carotte, l'oignon et le céleri 5 à 6 minutes dans la sauteuse. Augmentez le feu, versez le vin et poursuivez la cuisson 2 à 3 minutes. Ajoutez le bouillon, les tomates et le bouquet garni. Salez et poivrez.

Remettez le veau dans la sauteuse. Couvrez, baissez le feu et laissez frémir 1 heure.

Retirez la viande de la sauteuse et augmentez le feu. Faites bouillir la sauce jusqu'à épaississement, puis réintégrez le veau. Jetez le bouquet garni, goûtez et rectifiez l'assaisonnement. Servez avec des pâtes fraîches ou une purée de pommes de terre.

ragoût de la mer

Pour **6 personnes**

16 **moules**
12 grosses **crevettes**
435 ml de **cidre**
ou de vin blanc sec
50 g de **beurre**
1 gousse d'**ail** pilée
2 **échalotes**
finement hachées
2 branches de **céleri**
finement hachées
1 gros **blanc de poireau**
émincé
250 g de **champignons
de Paris**
1 feuille de **laurier**
300 g de filets de **saumon**
coupés en cubes
400 g de filets de **sole**
coupés en tronçons
300 ml de **crème fraîche**
épaisse
3 c. à s. de **persil plat**
finement haché
sel et **poivre** du moulin

Brossez les moules et supprimez les barbes. Jetez toutes celles qui sont ouvertes. Décortiquez les crevettes et retirez la veine dorsale.

Versez le cidre ou le vin dans une grande casserole et portez à ébullition. Ajoutez les moules, couvrez et laissez cuire 3 minutes en secouant la casserole de temps en temps. Retirez les moules avec une écumoire, jetez celles qui sont restées fermées et passez le jus de cuisson dans un tamis fin.

Faites fondre le beurre dans une casserole et faites revenir l'ail, l'échalote, le céleri et le poireau pendant 7 à 10 minutes. Quand les légumes sont tendres, ajoutez les champignons et laissez cuire 4 à 5 minutes. Pendant ce temps, sortez les moules de leurs coquilles.

Versez le jus de cuisson des moules dans la casserole avec la feuille de laurier et portez à ébullition. Ajoutez le saumon, la sole et les crevettes et faites cuire 3 à 4 minutes. Incorporez la crème et les moules et laissez frémir 2 minutes. Salez et poivrez. Parsemez de persil et servez aussitôt.

ragoût de bœuf à la sauce hoisin

Pour **6 personnes**

2 c. à s. d'**huile d'arachide**
1 kg de **bœuf** à braiser
coupé en cubes de 3 cm
1 c. à s. de **gingembre**
finement haché
1 c. à s. d'**ail**
finement haché
1 l de **bouillon** de bœuf
80 ml de **vin de riz chinois**
80 ml de **sauce hoisin**
1 **zeste de mandarine**
confite
1 **étoile de badiane**
1 c. à c. de grains de **poivre**
du Sichuan grossièrement
concassés
2 c. à c. de **sucre roux**
300 g de **daikon**
(radis blanc japonais)
coupé en tronçons de 3 cm
3 **oignons de printemps**
en tronçons de 3 cm
50 g de **pousses**
de bambou émincées

Faites chauffer l'huile dans un wok préchauffé et faites dorer le bœuf en plusieurs fois, 1 minute de chaque côté. Retirez-le du wok.

Faites sauter le gingembre et l'ail dans le wok pendant quelques secondes. Versez le bouillon, le vin de riz et la sauce hoisin, ajoutez le zeste de mandarine, la badiane, le poivre du Sichuan, le sucre, le daikon et 875 ml d'eau, puis remettez le bœuf dans le wok.

Portez à ébullition en écumant régulièrement. Baissez le feu et laissez frémir 1 h 30, en remuant de temps à autre, jusqu'à épaississement. Ajoutez les oignons de printemps et les pousses de bambou 5 minutes avant la fin de la cuisson. Servez avec du riz cuit à la vapeur.

irish stew

Pour **4 personnes**

20 g de **beurre**
1 c. à s. d'**huile végétale**
8 tranches de collier
  d'**agneau**
4 tranches de **bacon**
  coupées en lamelles
1 c. à c. de **farine**
600 g de **pommes de terre**
  en tranches épaisses
3 **carottes** en rondelles
  épaisses
1 **oignon** coupé
  en 16 quartiers
1 petit **poireau** en lamelles
  épaisses
150 g de **chou de Milan**
  émincé
500 ml de **bouillon** de bœuf
sel et **poivre noir** du moulin
2 c. à s. de **persil plat**
  finement haché

Faites chauffer le beurre et l'huile dans une cocotte à fond épais et faites revenir l'agneau 1 à 2 minutes de chaque côté, jusqu'à ce qu'il soit doré. Réservez. Faites rissoler le bacon 2 à 3 minutes. Retirez-le de la sauteuse avec une écumoire et laissez la graisse.

Versez la farine en pluie dans la sauteuse en mélangeant bien. Retirez la sauteuse du feu et disposez une couche de pommes de terre, de carottes, d'oignon, de poireau et de chou. Ajoutez le bacon, puis les tranches d'agneau. Terminez par une couche de légumes.

Couvrez de bouillon et portez à ébullition. Réduisez le feu, couvrez et laissez frémir 1 h 30, jusqu'à ce que la viande soit très tendre et que la sauce ait légèrement réduit. Salez et poivrez. Parsemez de persil haché au moment de servir.

cassoulet aux haricots de soja

Pour **4 personnes**

325 g de **haricots de soja**
  secs
8 **saucisses de porc**
2 c. à s. d'**huile**
1 **oignon rouge** haché
4 gousses d'**ail** hachées
1 grosse **carotte**
  coupée en dés
1 branche de **céleri**
  coupée en dés
800 g de **tomates**
  concassées
1 c. à s. de **concentré
de tomates**
250 ml de **vin blanc**
2 brins de **thym**
1 c. à c. de feuilles d'**origan**
  séchées
1 c. à s. d'**origan** haché

La veille, faites tremper les haricots de soja dans de l'eau froide. Au moment de les cuisiner, égouttez-les, mettez-les dans une cocotte et couvrez-les d'eau fraîche, portez à ébullition. Baissez le feu et laissez frémir 1 h 30 en veillant à ce que l'eau couvre les haricots durant toute la cuisson. Égouttez-les. Piquez les saucisses et faites-les revenir 10 minutes dans une poêle antiadhésive. Égouttez sur du papier absorbant.

Faites chauffer l'huile dans une sauteuse et faites revenir l'oignon et l'ail à feu moyen pendant 5 minutes. Ajoutez la carotte et le céleri. Poursuivez la cuisson 5 minutes, en remuant. Incorporez la tomate, le concentré de tomates, le vin, le thym et l'origan sec et portez à ébullition. Baissez le feu et laissez frémir 10 minutes, jusqu'à épaississement.

Préchauffez le four à 160 °C. Transférez les légumes dans une cocotte en fonte, ajoutez les saucisses, les haricots et 250 ml d'eau. Couvrez et faites cuire 2 heures au four. Remuez de temps à autre et ajoutez un peu d'eau si besoin.

Sortez la cocotte du four, écumez la graisse, puis faites réduire le jus à feu vif pour qu'il épaississe. Retirez les brins de thym et incorporez l'origan. Servez aussitôt.

souris d'agneau à la polenta

Pour **4 personnes**

60 ml d'**huile d'olive**
8 **souris d'agneau**
30 g de **farine** salée
  et poivrée
2 **oignons** émincés
3 gousses d'**ail** pilées
1 branche de **céleri** coupée
  en tronçons de 3 cm
2 **carottes** épluchées
  et coupées en tronçons
  de 3 cm
2 **panais** épluchés et coupés
  en tronçons de 3 cm
250 ml de **vin rouge**
750 ml de **bouillon** de volaille
250 ml de **coulis de tomate**
1 feuille de **laurier**
1 brin de **thym**
le zeste de ½ **orange** coupé
  en lamelles épaisses
1 brin de **persil**
sel et **poivre** du moulin

Polenta
500 ml de **bouillon** de volaille
150 g de **polenta** fine
50 g de **beurre**
sel et **poivre** du moulin
1 pincée de **paprika**

Préchauffez le four à 160 °C. Faites chauffer l'huile dans une grande cocotte. Saupoudrez les souris de farine, puis faites-les revenir sur le feu, en plusieurs fois. Réservez. Baissez le feu et faites fondre l'oignon 3 minutes dans la cocotte. Ajoutez l'ail, le céleri, la carotte, le panais, puis le vin, et laissez frémir 1 minute. Remettez les souris dans la cocotte. Versez le bouillon et le coulis de tomate, puis ajoutez la feuille de laurier, le thym, le zeste d'orange et le persil. Salez et poivrez. Couvrez et faites cuire 2 heures au four.

Pour la polenta, versez le bouillon et 500 ml d'eau dans une grande casserole et portez à ébullition. Incorporez la polenta en pluie fine, en remuant avec une cuillère en bois. Baissez le feu et laissez frémir 5 à 6 minutes, jusqu'à ce que la polenta épaississe et commence à se détacher de la paroi. Retirez la casserole du feu, incorporez le beurre, salez et poivrez. Transférez dans un plat préchauffé et saupoudrez de paprika.

Disposez les souris dans les bols de service chauds. Retirez le thym, le laurier et le zeste d'orange, puis nappez avec les légumes et la sauce. Servez la polenta à part.

poulet à la moutarde et à l'estragon

Pour **4 à 6 personnes**

60 ml d'**huile d'olive**
1 kg de **cuisses de poulet**
  coupées en cubes
1 **oignon** finement haché
1 **poireau** émincé
1 gousse d'**ail** finement
  hachée
350 g de **champignons
  de Paris** émincés
½ c. à c. d'**estragon** séché
375 ml de **bouillon** de volaille
185 ml de **crème fraîche**
2 c. à c. de **jus de citron**
2 c. à c. de **moutarde
  de Dijon**
sel et **poivre** du moulin

Préchauffez le four à 180 °C. Faites chauffer 1 cuillerée à soupe d'huile dans une cocotte et faites dorer les morceaux de poulet sur toutes les faces. Réservez.

Versez le reste d'huile dans la cocotte et faites fondre l'oignon, le poireau et l'ail 5 minutes à feu moyen. Ajoutez les champignons et laissez cuire 5 à 7 minutes. Versez le bouillon, ajoutez l'estragon, la crème, le jus de citron et la moutarde. Portez à ébullition et laissez frémir 2 minutes. Remettez les morceaux de poulet dans la cocotte. Salez et poivrez généreusement.

Couvrez et enfournez, puis laissez cuire 1 heure. Rectifiez l'assaisonnement et servez avec des pommes de terre vapeur et une salade.

escalopes de veau au marsala

Pour **4 personnes**

4 **escalopes de veau**
farine
50 g de **beurre**
1 c. à s. d'**huile**
185 ml de **marsala** sec
3 c. à c. de **crème fraîche**
30 g de **beurre**
    en supplément

Aplatissez les escalopes à 5 mm d'épaisseur. Farinez-les, puis secouez-les pour éliminer l'excédent. Faites fondre le beurre avec l'huile dans une poêle et faites cuire les escalopes 1 à 2 minutes de chaque côté, à feu moyen. Réservez au chaud.

Versez le marsala dans la poêle et portez à ébullition, en grattant les sucs au fond de la poêle. Réduisez le feu et laissez frémir 1 à 2 minutes pour faire réduire le jus. Ajoutez la crème et laissez frémir encore 2 minutes, puis incorporez les noix de beurre en fouettant, jusqu'à épaississement. Remettez les escalopes dans la poêle et laissez frémir 1 minute. Servez aussitôt. Ce plat est délicieux accompagné d'une purée à l'ail et d'une salade verte.

ragoût de bœuf à l'italienne

Pour **6 personnes**

1,5 kg de **bœuf**,
  gîte ou aiguillette
30 g de **beurre**
3 c. à s. d'**huile d'olive**
sel
1 pincée de **piment
  de Cayenne**
2 gousses d'**ail**
  finement hachées
2 **oignons** finement hachés
2 **carottes** finement hachées
1 branche de **céleri**
  finement hachée
½ **poivron rouge**
  finement haché
3 **poireaux** émincés
185 ml de **vin rouge**
1 c. à s. de **concentré
  de tomates**
375 ml de **bouillon** de bœuf
200 ml de **coulis
  de tomates**
8 feuilles de **basilic** ciselées
poivre du moulin
½ c. à c. de feuilles d'**origan**
  finement hachées
2 c. à s. de **persil**
  finement haché
60 ml de **crème épaisse**

Faites fondre le beurre avec l'huile dans une cocotte et faites dorer la pièce de bœuf 10 à 12 minutes. Salez, puis ajoutez le piment de Cayenne, l'ail, l'oignon, la carotte, le céleri, le poivron et le poireau. Faites revenir les légumes 10 minutes à feu moyen pour les faire dorer.

Augmentez le feu, versez le vin et faites bouillir jusqu'à évaporation. Incorporez le concentré de tomates, puis le bouillon. Laissez frémir 30 minutes. Ajoutez le coulis de tomates, le basilic et l'origan. Poivrez généreusement. Couvrez et laissez mijoter 1 heure à feu doux.

Quand le bœuf est tendre, sortez-le de la cocotte et laissez-le reposer 10 minutes avant de le découper. Rectifiez l'assaisonnement, puis incorporez le persil et la crème.

Vous pouvez servir des spaghettis nappés de la sauce du ragoût pour commencer, puis le bœuf accompagné de légumes ou d'une salade.

bœuf Stroganoff

Pour **4 personnes**

400 g de filet de **bœuf**
  émincé
2 c. à s. de **farine**
50 g de **beurre**
1 **oignon** émincé
1 gousse d'**ail** pilée
250 g de **champignons**
  de Paris émincés
60 ml de **cognac**
250 ml de **bouillon** de bœuf
1 ½ c. à s. de **concentré**
  de tomates
185 g de **crème aigre**
sel et **poivre** du moulin
1 c. à s. de **persil plat**
  haché

Farinez les lamelles de bœuf et secouez-les pour éliminer l'excédent.

Faites fondre la moitié du beurre dans une grande poêle et saisissez le bœuf sur toutes les faces 1 à 2 minutes. Réservez. Ajoutez le reste de beurre et faites fondre l'oignon et l'ail 2 à 3 minutes à feu moyen. Incorporez les champignons et poursuivez la cuisson 2 à 3 minutes.

Versez le cognac et laissez frémir pour que presque tout le liquide s'évapore, puis ajoutez le bouillon et le concentré de tomates. Laissez mijoter 5 minutes. Remettez le bœuf dans la poêle et incorporez la crème. Laissez frémir 1 minute, jusqu'à épaississement. Salez et poivrez.

Décorez de persil haché et servez aussitôt avec des pâtes fraîches.

bœuf frit au gingembre

Pour **4 personnes**

huile de friture
1 **pomme de terre**
   coupée en petits cubes
1 morceau de **gingembre**
500 g de **rumsteck** émincé
3 gousses d'**ail** pilées
1 c. à c. de **poivre noir**
   moulu
2 c. à s. d'**huile**
   en supplément
2 **oignons** coupés
   en rondelles
60 ml de **bouillon** de bœuf
2 c. à s. de **concentré**
   de tomates
½ c. à s. de **sauce de soja**
1 c. à c. de **piment**
   en poudre
3 c. à s. de **jus de citron**
3 **tomates** hachées
50 g **petits pois**

Versez de l'huile dans une casserole à fond épais jusqu'au tiers de sa hauteur et faites-la chauffer à 180 °C. Faites frire les cubes de pommes de terre, puis égouttez-les sur du papier absorbant.

Broyez le gingembre dans un mortier, puis mettez-le dans une étamine et tordez énergiquement pour en extraire tout le jus (il vous en faut environ 1 cuillerée à soupe).

Mélangez dans un récipient le bœuf, l'ail, le poivre et le jus de gingembre. Faites chauffer l'huile dans un wok et faites sauter le bœuf à feu vif, en plusieurs fois. Réservez au chaud. Baissez le feu, faites dorer les oignons et réservez-les.

Versez le bouillon, le concentré de tomates, la sauce de soja, le piment et le jus de citron dans le wok, puis laissez frémir à feu moyen pour faire réduire le jus. Ajoutez l'oignon, faites-le cuire 3 minutes, puis incorporez les tomates et les petits pois. Remuez sur le feu et poursuivez la cuisson 1 minute. Ajoutez le bœuf et les pommes de terre et réchauffez la préparation.

gratin de pâtes au fromage grec

Pour 6 **personnes**

415 g d'**orzo** (pâtes
en forme de grain de riz)
60 g de **beurre**
6 **oignons de printemps**
hachés
450 g de **pousses
d'épinards** hachées
sel et **poivre** du moulin
2 c. à s. de **farine**
1,25 l de **lait**
250 g de **kefalotyri** (fromage
de chèvre ou de brebis)
250 g de **feta** marinée
égouttée
3 c. à s. d'**aneth** haché

Préchauffez le four à 190 °C. Faites cuire les pâtes dans un grand volume d'eau bouillante salée. Égouttez-les, puis remettez-les dans la casserole. Faites chauffer 20 g de beurre dans une grande casserole et faites rissoler les oignons de printemps 30 secondes. Ajoutez les épinards et remuez 1 minute. Salez et poivrez, et incorporez aux pâtes.

Faites fondre le beurre restant dans une casserole, puis incorporez la farine et laissez cuire 1 minute en remuant sans cesse. Retirez la casserole du feu et versez progressivement le lait en remuant. Replacez la casserole sur le feu et continuez à remuer 5 minutes, jusqu'à épaississement. Ajoutez les deux tiers du kefalotyri et toute la feta. Remuez encore 2 minutes. Quand les fromages sont fondus, retirez du feu et ajoutez l'aneth.

Versez la sauce sur les pâtes, assaisonnez, mélangez bien et transférez l'appareil dans un plat à gratin. Saupoudrez du kefalotyri restant et faites gratiner 15 minutes au four.

Le kefalotyri est un fromage de brebis ou de chèvre sec, originaire de Grèce. On peut le remplacer par du parmesan ou du pecorino.

tourte au bœuf et aux rognons

Pour **6 personnes**

60 g de **farine** salée
  et poivrée
1,5 kg de **macreuse**
  coupée en cubes de 2 cm
1 rognon de **bœuf**
  coupé en cubes de 2 cm
2 c. à s. d'**huile d'olive**
2 **oignons** hachés
125 g de **champignons
  de Paris** coupés
  en quartiers
40 g de **beurre**
250 ml de **bouillon** de bœuf
  ou de veau
185 ml de **bière brune**
2 c. à s. de **sauce
  Worcestershire**
4 filets d'**anchois**
  en saumure,
  hachés finement
1 c. à s. de **persil plat**
  haché
600 g de **pâte feuilletée**
1 **œuf** légèrement battu

Farinez le bœuf et le rognon et secouez-les pour
éliminer l'excédent. Faites chauffer l'huile dans une
casserole et faites cuire l'oignon 5 minutes. Ajoutez
les champignons et continuez la cuisson 5 minutes.
Réservez.

Faites fondre un tiers du beurre dans la casserole
et faites dorer un tiers du bœuf et du rognon pendant
5 minutes, en les retournant plusieurs fois. Réservez
et répétez l'opération deux fois avec le reste de beurre,
de bœuf et de rognon. Remettez toute la viande dans
la casserole, versez le bouillon et la bière, mélangez
et portez à ébullition. Réduisez le feu et laissez frémir
2 heures. Retirez du feu, laissez refroidir, puis incorporez
l'oignon et les champignons, la sauce Worcestershire,
les anchois et le persil.

Préchauffez le four à 180 °C. Étalez la farce dans
une tourtière légèrement graissée. Abaissez la pâte
au rouleau entre deux feuilles de papier sulfurisé,
pour obtenir une feuille de la dimension de la tourtière.
Badigeonnez de lait le bord de la tourtière et posez
la pâte sur la farce. Pressez fermement les bords
et badigeonnez d'œuf. Faites cuire 40 à 45 minutes
au four, jusqu'à ce que la tourte soit dorée.

tourte au poulet et au maïs

Pour **6 personnes**

1 c. à s. d'**huile d'olive**
650 g de **cuisses de poulet**
  dégraissées et coupées
  en dés de 1 cm
1 c. à s. de **gingembre** râpé
400 g de **pleurotes**
  coupés en deux
3 **épis de maïs** égrenés
125 ml de **bouillon** de volaille
2 c. à s. de **ketjap manis**
2 c. à s. **farine de maïs**
30 g de feuilles
  de **coriandre** hachées
6 rouleaux de **pâte brisée**
  prête à l'emploi

Graissez 6 moules à tarte en métal d'un diamètre de 9,5 cm. Préchauffez l'huile dans une grande poêle à feu vif et faites dorer le poulet 5 minutes. Ajoutez le gingembre, les champignons et les grains de maïs et continuez la cuisson 5 à 6 minutes. Versez le bouillon et le ketjap manis.

Délayez la farine avec 2 cuillerées d'eau dans un bol, puis incorporez le mélange à la farce. Faites bouillir 2 minutes avant d'ajouter la coriandre. Transférez le tout dans un récipient, laissez refroidir, puis mettez 2 heures au réfrigérateur.

Préchauffez le four à 180 °C. Découpez six disques de pâte de la taille des moules et tapissez-en ces derniers. Répartissez la farce sur la pâte, puis découpez six autres disques de pâte pour former les couvercles. Posez ces derniers sur la farce, recoupez les bords et soudez-les à la fourchette. Décorez les tourtes de motifs découpés dans les chutes de pâte. Faites quelques trous dans les couvercles, badigeonnez de lait et faites cuire 35 minutes au four, jusqu'à ce que les tourtes soient dorées.

pâtes

penne rigate tomate basilic

Pour **4 personnes**

500 g de **penne rigate**
80 ml d'**huile d'olive**
4 gousses d'**ail** pilées
4 filets d'**anchois**
  finement hachés
2 petits **piments rouges**
  épépinés et finement
  hachés
6 grosses **tomates** pelées,
  épépinées et finement
  hachées
80 ml de **vin blanc**
1 c. à s. de **concentré
  de tomates**
2 c. à c. de **sucre**
2 c. à s. de **persil plat**
  finement haché
3 c. à s. de **basilic** ciselé
sel et **poivre** du moulin
parmesan râpé

Faites cuire les pâtes dans un grand volume d'eau bouillante salée. Égouttez bien.

Pendant ce temps, faites chauffer l'huile dans une poêle et faites revenir l'ail 30 secondes. Incorporez l'anchois et le piment et poursuivez la cuisson 30 secondes. Ajoutez les tomates et laissez cuire 2 minutes à feu vif. Versez le vin, le concentré de tomates et le sucre, couvrez et laissez frémir 10 minutes, jusqu'à épaississement.

Versez la sauce sur les pâtes, salez et poivrez, parsemez de persil et de basilic et mélangez délicatement. Servez les pâtes accompagnées de parmesan râpé.

spaghetti alla puttanesca

Pour **4 personnes**

6 grosses **tomates**
   bien mûres
375 g de **spaghettis**
80 ml d'**huile d'olive**
2 **oignons** finement hachés
3 gousses d'**ail**
   finement hachées
½ c. à c. de **flocons**
   de piment
4 c. à s. de **câpres** rincées
   et égouttées
7 à 8 **anchois** conservés
   dans l'huile, égouttés
   et hachés
150 g d'**olives noires**
3 c. à s. de **persil plat**
   haché
sel et **poivre** du moulin

Pratiquez une incision à la base de chaque tomate. Plongez-les dans un saladier d'eau bouillante pendant 30 secondes, puis dans l'eau froide, et pelez-les en partant de l'incision. Coupez la chair en dés. Faites cuire les pâtes dans un grand volume d'eau bouillante salée.

Faites chauffer l'huile dans une casserole et faites fondre l'oignon 5 minutes à feu moyen. Ajoutez l'ail et le piment et laissez cuire 30 secondes, puis incorporez les câpres, les anchois et la tomate. Laissez mijoter 5 à 10 minutes à feu doux, jusqu'à épaississement. Ajoutez enfin les olives et le persil.

Égouttez les pâtes et mettez-les dans un plat de service. Versez la sauce dessus et mélangez. Salez et poivrez. Servez aussitôt.

penne aux boulettes de viande

Pour **6 personnes**

Boulettes de viande
2 tranches de **pain de mie**
   sans la croûte
60 ml de **lait**
500 g de **porc** et de **veau**
   hachés
1 petit **oignon**
   finement haché
2 gousses d'**ail**
   finement hachées
3 c. à s. de **persil plat**
   finement haché
2 c. à c. de **zeste de citron**
   finement râpé
1 **œuf** légèrement battu
50 g de **parmesan** râpé
sel et **poivre** du moulin
farine
2 c. à s. d'**huile d'olive**

125 ml de **vin blanc**
800 g de **tomates**
   concassées en conserve
1 c. à s. de **concentré**
   de tomates
1 c. à c. de **sucre** semoule
½ c. à c. d'**origan** séché
500 g de **penne rigate**
feuilles d'**origan**

Préparez les boulettes de viande : faites tremper le pain dans le lait 5 minutes, puis pressez-le bien. Mélangez le pain, la viande hachée, l'oignon, l'ail, le persil, le zeste de citron, l'œuf et le parmesan dans un grand récipient. Salez et poivrez. Humidifiez vos mains et façonnez des boulettes de la taille d'une noix, puis roulez-les dans la farine. Faites chauffer l'huile dans une sauteuse et faites revenir les boulettes 10 minutes à feu moyen. Égouttez-les sur du papier absorbant et réservez au chaud.

Versez le vin dans la sauteuse et faites-le bouillir 3 minutes. Ajoutez la tomate, le sucre, le concentré de tomates et l'origan. Baissez le feu et laissez frémir 10 minutes. Pendant ce temps, faites cuire les pâtes dans un grand volume d'eau bouillante salée.

Répartissez les pâtes dans les assiettes de service, garnissez de boulettes et nappez de sauce. Décorez de feuilles d'origan.

tagliatelle à la bolognaise

Pour **4 à 6 personnes**

2 c. à s. d'**huile d'olive**
2 gousses d'**ail**
　finement hachées
1 gros **oignon**
　finement haché
1 **carotte** finement hachée
1 branche de **céleri**
　finement hachée
50 g de **pancetta** ou
　de bacon finement haché
500 g de **bœuf** haché
500 ml de **bouillon** de bœuf
375 ml de **vin rouge**
800 g de **tomates**
　concassées en conserve
2 c. à s. de **concentré**
　de tomates
1 c. à c. de **sucre**
sel et **poivre** du moulin
500 g de **tagliatelle fraîches**
copeaux de **parmesan**

Faites chauffer l'huile dans une sauteuse et faites revenir l'ail, l'oignon, la carotte, le céleri et la pancetta 5 minutes à feu moyen.

Ajoutez le bœuf haché, émiettez-le avec le dos d'une cuillère et faites-le dorer quelques minutes. Incorporez le bouillon, le vin rouge, les tomates, le concentré de tomates et le sucre. Portez à ébullition, puis baissez le feu et laissez mijoter 1 h 30 à couvert. Retirez le couvercle et laissez frémir encore 1 h 30, en remuant de temps à autre. Salez et poivrez.

Faites cuire les pâtes dans un grand volume d'eau bouillante salée. Égouttez-les et mettez-les dans un plat de service. Nappez-les de sauce bolognaise, parsemez de copeaux de parmesan et servez aussitôt.

penne alla carbonara

Pour **4 à 6 personnes**

400 g de **penne**
1 c. à s. d'**huile d'olive**
200 g de **pancetta**
  ou de bacon coupé
  en fines lamelles
6 jaunes d'**œufs**
185 ml de **crème fraîche**
  épaisse
75 g de **parmesan** râpé
sel et **poivre** du moulin

Faites cuire les pâtes dans un grand volume d'eau bouillante salée.

Pendant ce temps, faites chauffer l'huile dans une grande poêle et faites rissoler la pancetta à feu vif 6 minutes, jusqu'à ce qu'elle soit dorée et croustillante. Retirez-la de la poêle à l'écumoire et égouttez-la sur du papier absorbant.

Battez les jaunes d'œufs, la crème et le parmesan dans un saladier. Salez et poivrez généreusement. Remettez les pâtes égouttées dans la casserole, versez l'appareil aux œufs et mélangez délicatement. Ajoutez la pancetta et réchauffez le tout 30 secondes à feu très doux. La sauce doit épaissir légèrement. Servez aussitôt.

tagliatelle au thon, câpres et roquette

Pour **4 personnes**

350 g de **tagliatelle fraîches**
3 gousses d'**ail** pilées
1 c. à c. de **zeste de citron**
   finement râpé
80 ml d'**huile d'olive**
500 g de **thon** coupé
   en cubes de 5 cm
sel et **poivre** du moulin
200 g de feuilles de **roquette**
   grossièrement hachées
4 c. à s. de petites **câpres**
   rincées et bien égouttées
60 ml de **jus de citron**
2 c. à s. de **persil plat**
   finement haché

Faites cuire les pâtes dans un grand volume d'eau bouillante salée. Égouttez bien.

Pendant ce temps, mélangez l'ail, le zeste de citron et 1 cuillerée d'huile dans un récipient. Ajoutez le thon et remuez délicatement. Salez et poivrez.

Faites chauffer une poêle antiadhésive et saisissez le thon 30 secondes de chaque côté. Ajoutez la roquette et les câpres et remuez délicatement 1 minute sur le feu. Quand les feuilles de roquette commencent à se flétrir, ajoutez le jus de citron et retirez la poêle du feu.

Versez le reste d'huile sur les pâtes chaudes, ajoutez le thon et le persil. Salez et poivrez, puis mélangez délicatement. Servez aussitôt.

tagliatelle aux légumes de printemps

Pour **4 personnes**

120 g de **fèves** fraîches
150 g d'**asperges vertes**
  coupées en petits tronçons
1 c. à c. de **sel**
350 g de **tagliatelle fraîches**
100 g de **haricots verts**
  coupés en petits tronçons
120 g de **petits pois**
  frais cuits
30 g de **beurre**
1 petit bulbe de **fenouil**
  émincé
375 ml de **crème fraîche**
  épaisse
2 c. à s. de **parmesan** râpé

Portez un grand volume d'eau à ébullition. Salez, ajoutez les fèves et les asperges et laissez frémir 3 minutes.

Retirez les légumes avec une écumoire et réservez-les. Faites cuire les pâtes dans l'eau de cuisson des fèves. Dès qu'elles commencent à ramollir, ajoutez les haricots et les petits pois. Faites cuire le tout environ 4 minutes, jusqu'à ce que les pâtes soient al dente.

Pendant ce temps, faites chauffer le beurre dans une grande poêle et faites fondre le fenouil à feu doux pendant 5 minutes, sans le laisser colorer. Incorporez la crème, salez et poivrez et laissez mijoter à petit frémissement.

Épluchez les fèves. Égouttez les pâtes, les haricots verts et les petits pois et transférez-les dans la poêle. Ajoutez le parmesan, les fèves et les asperges. Mélangez délicatement et servez aussitôt.

tagliatelle aux crevettes

Pour **4 personnes**

400 g de **tagliatelle**
   aux œufs sèches
1 c. à s. d'**huile d'olive**
3 gousses d'**ail**
   finement hachées
20 **crevettes** crues
   décortiquées, avec la queue
550 g de **tomates** olivettes
   coupées en dés
2 c. à s. de **basilic** émincé
125 ml de **vin blanc**
80 ml de **crème fraîche**
feuilles de **basilic**

Faites cuire les pâtes dans un grand volume d'eau bouillante salée. Égouttez-les et gardez-les au chaud. Réservez 2 cuillerées à soupe d'eau de cuisson.

Pendant ce temps, faites chauffer l'huile dans une grande poêle et faites revenir l'ail 1 à 2 minutes à feu doux. Augmentez le feu, ajoutez les crevettes et faites-les cuire à feu moyen 3 à 5 minutes. Retirez les crevettes et réservez-les au chaud.

Ajoutez les tomates et le basilic et remuez 3 minutes sur le feu. Versez le vin et la crème, portez à ébullition et laissez frémir 2 minutes.

Mixez la sauce, transvasez-la dans la poêle, versez l'eau réservée et portez à frémissement. Ajoutez les crevettes et faites-les chauffer rapidement. Versez la sauce sur les pâtes, mélangez délicatement, décorez de feuilles de basilic et servez.

trenette au pesto et aux légumes

Pour **4 personnes**

Pesto
2 gousses d'**ail**
50 g de **pignons de pin**
125 g de **basilic** effeuillé
150 ml d'**huile d'olive**
50 g de **parmesan**
  finement râpé
sel et **poivre** du moulin

500 g de **spaghettis**
175 g de **haricots verts**
175 g de petites **pommes
de terre** émincées

Préparez le pesto : mixez l'ail et les pignons de pin ou pilez-les dans un mortier. Ajoutez le basilic et le parmesan, puis versez progressivement l'huile d'olive, sans cesser de mixer.

Portez à ébullition un grand volume d'eau. Salez, puis ajoutez les pâtes, les haricots et les pommes de terre en remuant bien. Laissez cuire jusqu'à ce que celles-ci soient al dente. Égouttez en réservant un peu d'eau de cuisson.

Remettez les pâtes et les légumes dans la casserole, incorporez le pesto et mélangez bien. Ajoutez un peu d'eau de cuisson si le mélange semble un peu sec. Salez et poivrez. Servez aussitôt.

Le pesto alla genovese accompagne traditionnellement des trenette, pâtes longues et plates d'origine ligure. Vous pouvez supprimer les légumes ou remplacer les trenette par des spaghettis.

pâtes aux lentilles et aux légumes

Pour **4 personnes**

1 l de **bouillon** de volaille
500 g d'**orechiette**
  ou de conchigliette
2 c. à s. d'**huile d'olive**
1 **oignon** haché
2 **carottes** coupées en dés
3 branches de **céleri**
  coupées en dés
3 gousses d'**ail**
  finement hachées
3 c. à c. de **thym** haché
sel et **poivre** du moulin
400 g de **lentilles vertes**
  cuites ou en conserve
huile d'olive pour arroser
parmesan râpé

Faites bouillir le bouillon 10 minutes dans une grande casserole pour le faire réduire de moitié. Pendant ce temps, faites cuire les pâtes dans un grand volume d'eau bouillante salée. Égouttez-les, puis remettez-les dans la casserole pour les garder au chaud.

Faites chauffer l'huile dans une sauteuse et faites dorer l'oignon, la carotte et le céleri 10 minutes à feu moyen. Ajoutez 2 gousses d'ail et 2 cuillerées à café de thym et poursuivez la cuisson 1 minute. Versez le bouillon, portez à ébullition et laissez cuire 8 minutes. Ajoutez les lentilles et mélangez sur le feu, jusqu'à ce qu'elles soient bien chaudes.

Incorporez le reste d'ail et de thym, salez et poivrez généreusement. Mettez les pâtes dans un récipient, versez la sauce aux lentilles et mélangez délicatement. Arrosez généreusement d'huile d'olive et servez avec du parmesan.

Le mot orechiette (« petites oreilles » en italien) désigne une variété de pâtes ovales et creuses. On peut les remplacer par des conchiglie ou des cavatelli.

pâtes poulet artichauts

Pour **6 personnes**

1 c. à s. d'**huile d'olive**
3 **blancs de poulet**
500 g de **pâtes ruban larges**
8 tranches de **jambon cru**
280 g d'**artichauts** conservés dans l'huile, égouttés et coupés en quatre (réservez l'huile)
150 g de **tomates séchées** conservées dans l'huile, émincées
90 g de feuilles de **roquette**
2 à 3 c. à s. de **vinaigre balsamique**
sel et **poivre** du moulin

Badigeonnez d'huile un gril en fonte et faites-le chauffer à feu vif. Faites dorer les blancs de poulet 6 à 8 minutes de chaque côté.

Pendant ce temps, faites cuire les pâtes dans un grand volume d'eau bouillante salée. Égouttez-les et remettez-les dans la casserole pour qu'elles restent chaudes. Faites dorer à sec le jambon dans une poêle antiadhésive. Laissez-le refroidir et émincez-le.

Émincez les blancs de poulet. Mélangez aussitôt les pâtes avec le poulet, le jambon, les artichauts, la tomate et la roquette. Battez 60 ml de l'huile des artichauts et le vinaigre balsamique, puis versez cette sauce sur les pâtes. Salez et poivrez. Servez aussitôt.

spaghettis à l'encre de seiche

Pour 4 à 6 personnes

1 kg de petites **seiches**
2 c. à s. d'**huile d'olive**
1 **oignon** finement haché
6 gousses d'**ail**
   finement hachées
1 feuille de **laurier**
1 petit **piment rouge**
   épépiné et émincé
80 ml de **vin blanc**
80 ml de **vermouth sec**
250 ml de **fumet de poisson**
60 g de **concentré**
   de tomates
500 ml de **coulis**
   de tomates
15 ml d'**encre de seiche**
500 g de **spaghettis**
½ c. à c. de **Pernod**
4 c. à s. de **persil plat**
   haché
1 gousse d'**ail**
   supplémentaire pilée
sel et **poivre** du moulin

Nettoyez les seiches : séparez les tentacules du corps, coupez le bec et le tube digestif et jetez-les, réservez l'encre. Retirez l'os central et coupez le corps en fins anneaux.

Faites chauffer l'huile dans une casserole à feu moyen et faites dorer l'oignon. Ajoutez l'ail, la feuille de laurier et le piment et laissez cuire jusqu'à ce que l'ail commence à dorer. Versez le vin, le vermouth, le fumet de poisson, le concentré de tomates, le coulis et 250 ml d'eau, puis portez à ébullition. Baissez le feu et laissez frémir 45 minutes, jusqu'à ce que le liquide ait réduit de moitié. Ajoutez l'encre de seiche et poursuivez la cuisson 2 minutes. Pendant ce temps, faites cuire les pâtes dans un grand volume d'eau bouillante salée.

Ajoutez les anneaux de seiche et le Pernod dans la sauce, remuez, puis laissez mijoter 4 à 5 minutes. Incorporez le persil et le supplément d'ail. Salez et poivrez. Égouttez les pâtes et nappez-les de sauce. Servez aussitôt.

spaghettini anchois, câpres piment

Pour **4 personnes**

400 g de **spaghettini**
125 ml d'**huile d'olive**
4 gousses d'**ail**
   finement hachées
10 filets d'**anchois** hachés
1 c. à s. de petites **câpres**
   rincées et égouttées
1 c. à c. de **flocons**
   de piment
2 c. à s. de **jus de citron**
2 c. à c. de **zeste de citron**
   finement râpé
3 c. à s. de **persil** haché
3 c. à s. de feuilles de **basilic**
   hachées
3 c. à s. de **menthe** hachée
50 g de **parmesan**
   grossièrement râpé
sel et **poivre du moulin**
huile d'olive
copeaux de **parmesan**

Faites cuire les pâtes dans un grand volume d'eau bouillante salée. Égouttez-les et réservez au chaud.

Faites chauffer l'huile dans une poêle et faites dorer l'ail 2 à 3 minutes à feu doux. Ajoutez les anchois, les câpres et le piment et laissez cuire 1 minute.

Incorporez les pâtes dans la poêle, avec le jus de citron, le zeste de citron, le persil, le basilic, la menthe et le parmesan. Salez et poivrez. Mélangez soigneusement.

Avant de servir, arrosez d'un filet d'huile d'olive et parsemez de copeaux de parmesan.

conchiglie aux poivrons

Pour **4 à 6 personnes**

6 gros **poivrons rouges**
400 g de **conchiglie**
2 c. à s. d'**huile d'olive**
1 **oignon** émincé
3 gousses d'**ail**
   finement hachées
sel et **poivre** du moulin
2 c. à s. de feuilles
   de **basilic** ciselées
feuilles de **basilic** entières
copeaux de **parmesan**

Coupez les poivrons en deux, retirez les pépins et les membranes blanches. Faites-les griller au four jusqu'à ce que la peau noircisse, puis mettez-les dans un sac en plastique. Laissez-les refroidir.

Faites cuire les pâtes dans un grand volume d'eau bouillante salée. Pendant ce temps, préchauffez l'huile dans une grande poêle et faites fondre l'oignon et l'ail 5 minutes, à feu moyen. Pelez les poivrons. Détaillez un poivron en fines tranches et mettez celles-ci dans la poêle.

Coupez les poivrons restants en petits morceaux et mixez-les jusqu'à obtention d'une purée lisse. Versez cette dernière dans la poêle et laissez cuire 5 minutes à feu doux.

Égouttez les pâtes et transvasez-les dans un saladier. Nappez de sauce et mélangez bien. Salez et poivrez, puis incorporez le basilic ciselé. Décorez de feuilles de basilic et accompagnez de copeaux de parmesan.

spaghetti alle vongole

Pour **4 personnes**

1 kg de **palourdes**
375 g de **spaghettis**
125 ml d'**huile d'olive**
40 g de **beurre**
1 petit **oignon** haché
  très finement
6 gousses d'**ail**
  finement hachées
125 ml de **vin blanc sec**
1 petit **piment rouge**
  épépiné et finement haché
15 g de **persil plat** haché
sel et **poivre** du moulin

Brossez soigneusement les palourdes et jetez toutes celles qui sont ouvertes. Faites-les dégorger 1 heure dans l'eau froide, en renouvelant l'eau à plusieurs reprises, jusqu'à ce qu'elle soit limpide. Égouttez et réservez.

Faites cuire les spaghettis dans un grand volume d'eau bouillante salée.

Pendant ce temps, faites chauffer l'huile et 20 g de beurre dans une grande casserole. Ajoutez l'oignon et la moitié de l'ail et faites légèrement dorer pendant 10 minutes. Versez le vin et poursuivez la cuisson 2 minutes. Ajoutez les palourdes, le piment et le reste de beurre et d'ail. Couvrez et laissez cuire 8 minutes, en remuant régulièrement jusqu'à ce que les palourdes soient ouvertes. Jetez celles qui sont restées fermées.

Incorporez le persil, salez et poivrez. Égouttez les pâtes, puis mettez-les dans la casserole avec les palourdes et mélangez soigneusement. Servez aussitôt.

spaghetti alla marinara

Pour 2 personnes

500 g de **spaghettis**
1 c. à s. d'**huile d'olive**
1 **oignon** finement haché
3 gousses d'**ail**
   finement hachées
800 g de **tomates**
   concassées en conserve
2 c. à s. de **concentré
   de tomates**
170 ml de **vin blanc sec**
2 c. à c. de **sucre roux**
1 c. à c. de **zeste de citron**
   finement râpé
2 c. à s. de feuilles de **basilic**
   ciselées
2 c. à s. de **persil plat**
   finement haché
sel et **poivre** du moulin
12 **crevettes** crues
   décortiquées avec la queue
8 **moules** nettoyées
8 **noix de Saint-Jacques**
   sans le corail
2 petits **calamars** nettoyés
   et coupés en anneaux
   de 1 cm

Faites cuire les pâtes dans un grand volume d'eau bouillante salée.

Pendant ce temps, faites chauffer l'huile dans une grande casserole et faites dorer l'oignon 8 minutes à feu moyen. Ajoutez l'ail, les tomates, le concentré de tomates, le vin, le sucre, le zeste de citron, 1 cuillerée à soupe de basilic, le persil et 250 ml d'eau. Laissez mijoter 1 heure, en remuant de temps à autre, jusqu'à épaississement. Salez et poivrez.

Ajoutez les crevettes et les moules et laissez cuire 1 minute, puis incorporez les noix de Saint-Jacques et poursuivez la cuisson 2 minutes. Ajoutez enfin le calamar et poursuivez la cuisson pendant 1 minute.

Égouttez les pâtes, mettez-les dans un grand récipient, puis nappez-les de sauce aux fruits de mer. Mélangez délicatement avant de servir.

capellini aux noix de Saint-Jacques

Pour **4 personnes**

100 g de **beurre**
3 gousses d'**ail**
  finement hachées
24 **noix de Saint-Jacques**
  sans le corail
350 g de **capellini**
  (cheveux d'ange)
150 g de feuilles de **roquette**
2 c. à c. de **zeste de citron**
  finement râpé
60 ml de **jus de citron**
125 g de **tomates séchées**
  conservées dans l'huile,
  émincées
sel et **poivre** du moulin

Faites fondre le beurre dans une casserole et faites cuire l'ail à feu doux 1 minute. Retirez la casserole du feu.

Faites chauffer un gril en fonte légèrement huilé. Badigeonnez les noix de Saint-Jacques de beurre à l'ail, salez et poivrez.

Faites cuire les pâtes dans l'eau bouillante et démarrez en même temps la cuisson des noix de Saint-Jacques en les saisissant 1 minute de chaque côté sur le gril chaud.

Égouttez les pâtes, mettez-les dans un récipient, puis ajoutez la roquette, le zeste de citron, le jus de citron, les tomates séchées et le restant de beurre à l'ail. Salez et poivrez. Répartissez les pâtes dans les bols de service et garnissez de noix de Saint-Jacques.

tagliatelle au saumon

Pour 4 personnes

350 g de **tagliatelle fraîches**
60 ml d'**huile d'olive**
3 filets de **saumon** de 200 g
    sans peau et sans arête
3 gousses d'**ail** pilées
375 ml de **crème fraîche**
1 ½ c. à s. d'**aneth** haché
1 c. à c. de **graines**
    de moutarde moulues
sel et **poivre** du moulin
1 c. à s. de **jus de citron**
35 g de copeaux
    de **parmesan**

Faites cuire les pâtes dans un grand volume d'eau bouillante salée. Égouttez-les, puis mettez-les dans un récipient avec 1 cuillerée à soupe d'huile d'olive. Mélangez bien. Réservez au chaud.

Pendant ce temps, faites chauffer le reste d'huile dans une sauteuse et faites cuire les filets de saumon 2 minutes de chaque côté (ils doivent être encore rose à cœur). Retirez-les de la sauteuse, coupez-les en cubes de 2 cm et réservez au chaud.

Faites cuire l'ail 30 secondes dans la sauteuse jusqu'à ce qu'il embaume. Ajoutez la crème, l'aneth et la moutarde en poudre. Portez à ébullition, puis baissez le feu et laissez frémir 4 à 5 minutes en remuant sans cesse, jusqu'à épaississement. Salez et poivrez.

Ajoutez dans la sauteuse le saumon et le jus de citron, puis réchauffez la préparation. Versez la sauce sur les pâtes, mélangez délicatement, puis répartissez le tout dans les assiettes de service. Parsemez de parmesan et servez aussitôt.

pappardelle au ragoût d'agneau

Pour **6 à 8 personnes**

2 c. à s. d'**huile d'olive**
1 gros **oignon**
  finement haché
1 grosse **carotte** coupée
  en petits dés
2 branches de **céleri**
  coupées en petits dés
2 feuilles de **laurier**
1,5 kg de **côtes d'agneau**
  dégraissées
4 gousses d'**ail**
  finement hachées
1 c. à s. de **romarin**
  finement haché
750 ml de **vin rouge**
1 l de **bouillon** de bœuf
500 ml de **coulis**
  de tomates
½ c. à c. de **zeste de citron**
  finement râpé
500 g de **pappardelle**
sel et **poivre** du moulin
feuilles de **persil plat**

Faites chauffer 1 cuillerée à soupe d'huile dans une grande casserole et faites revenir 10 minutes à feu moyen l'oignon, la carotte, le céleri et les feuilles de laurier. Réservez. Ajoutez le reste d'huile dans la casserole et faites dorer l'agneau pendant 15 minutes. Réservez.

Faites chauffer l'ail et le romarin dans la casserole pendant 30 secondes, puis ajoutez les légumes dans la casserole. Versez le vin, le bouillon, le coulis de tomates et 250 ml d'eau. Ajoutez le zeste de citron. À l'aide d'une cuiller en bois, grattez les sucs collés au fond de la casserole. Ajoutez les côtes d'agneau et portez à ébullition, puis laissez frémir 2 h 15 à feu doux. Pendant ce temps, faites cuire les pâtes dans un grand volume d'eau bouillante salée.

Retirez les côtes de la casserole et ôtez les os en vous aidant d'une fourchette. Remettez la viande dans la sauce et remuez sur le feu jusqu'à ce qu'elle soit bien chaude. Salez et poivrez. Égouttez les pâtes, mettez-les dans un grand récipient et nappez-les de ragoût d'agneau. Décorez de feuilles de persil et servez aussitôt.

linguine jambon cœurs d'artichauts

Pour **4 personnes**

500 g de **linguine fraîches**
25 g de **beurre**
2 grosses gousses d'**ail**
   hachées
150 g de **cœurs d'artichauts**
   marinés, égouttés
   et coupés en quatre
150 g de **jambon** coupé
   en lamelles
300 ml de **crème fraîche**
2 c. à c. de **zeste de citron**
   grossièrement râpé
15 g de **basilic** ciselé
35 g de **parmesan** râpé

Faites cuire les pâtes dans un grand volume d'eau bouillante salée. Égouttez-les et remettez-les dans la casserole pour les garder au chaud.

Pendant ce temps, faites fondre le beurre dans une poêle et faites revenir l'ail 1 minute à feu moyen, jusqu'à ce qu'il embaume. Ajoutez les artichauts et le jambon et poursuivez la cuisson 2 minutes.

Incorporez la crème et le zeste de citron, baissez le feu et laissez frémir 5 minutes, en séparant délicatement les feuilles d'artichauts avec une cuiller en bois.

Versez la sauce sur les pâtes, puis incorporez le basilic et le parmesan et mélangez jusqu'à ce que les pâtes soient bien enrobées. Répartissez sur les assiettes de service et servez aussitôt.

orechiette chou-fleur, bacon

Pour 4 personnes

750 g de **chou-fleur**
   détaillé en fleurettes
500 g d'**orechiette**
   (voir p. 118)
125 ml d'**huile d'olive**
150 g de **bacon**
   coupé en dés
2 gousses d'**ail**
   finement hachées
80 g de **pignons de pin**
   grillés
45 g de **pecorino** râpé
15 g de **persil plat** haché
60 g de **chapelure**
sel et **poivre** du moulin

Faites cuire le chou-fleur 5 à 6 minutes dans un grand volume d'eau bouillante salée. Égouttez-le.

Faites cuire les pâtes dans un grand volume d'eau bouillante salée. Égouttez-les et remettez-les dans la casserole pour les garder au chaud.

Faites chauffer l'huile dans une poêle et faites dorer le bacon 4 à 5 minutes à feu moyen. Quand il est croustillant, ajoutez l'ail et faites-le revenir 1 minute. Ajoutez enfin le chou-fleur et mélangez bien.

Mettez les pâtes dans un saladier, ajoutez la préparation au chou-fleur, les pignons de pin, le pecorino, le persil et 40 g de chapelure. Salez et poivrez. Mélangez bien, puis saupoudrez du reste de chapelure.

tagliatelle aux noix

Pour **4 personnes**

200 g de **noix** décortiquées
20 g de **persil** grossièrement
   haché
50 g de **beurre**
200 ml d'**huile d'olive**
1 gousse d'**ail** pilée
30 g de **parmesan** râpé
100 ml de **crème fraîche**
   épaisse
sel et **poivre noir** du moulin
400 g de **tagliatelle**

Faites griller les noix à sec dans une poêle 2 minutes. Réservez et laissez refroidir 5 minutes.

Mixez les noix et le persil, puis ajoutez le beurre sans cesser de mixer. Versez progressivement l'huile, puis ajoutez l'ail, le parmesan et la crème en continuant de faire tourner le moteur, jusqu'à obtention d'une préparation homogène. Salez et poivrez.

Faites cuire les pâtes dans un grand volume d'eau bouillante salée. Égouttez-les, puis mélangez-les avec la sauce. Servez aussitôt.

fusilli poulet champignons

Pour 4 personnes

375 g de **fusilli**
2 c. à s. d'**huile d'olive**
350 g de **blancs de poulet**
    coupés en cubes de 2 cm
20 g de **beurre**
400 g de **champignons
    de Paris** émincés
2 gousses d'**ail**
    finement hachées
125 ml de **vin blanc sec**
185 ml de **crème fraîche**
1 c. à c. de **zeste de citron**
    finement râpé
2 c. à s. de **jus de citron**
1 c. à s. d'**estragon** haché
2 c. à s. de **persil** haché
25 g de **parmesan** râpé
sel et **poivre** du moulin

Faites cuire les pâtes dans un grand volume d'eau bouillante salée. Égouttez-les.

Pendant ce temps, faites chauffer 1 cuillerée à soupe d'huile dans une poêle et faites dorer le poulet 3 à 4 minutes à feu vif. Réservez au chaud.

Faites chauffer le beurre et le reste d'huile et faites revenir les champignons 3 minutes à feu vif, en remuant. Ajoutez l'ail et poursuivez la cuisson 2 minutes.

Versez le vin, baissez le feu et laissez frémir 5 minutes. Quand le liquide est presque évaporé, incorporez la crème et le poulet et laissez frémir 5 minutes, jusqu'à épaississement.

Ajoutez le zeste de citron, le jus de citron, l'estragon, le persil et le parmesan. Salez et poivrez, puis incorporez les pâtes chaudes à la sauce. Servez aussitôt.

raviolis aux crevettes, sauce citronnée

Pour **4 personnes**

50 g de **beurre**
4 gousses d'**ail** pilées
750 g de **crevettes** crues
   décortiquées, avec la queue
1 ½ c. à s. de **farine**
375 ml de **court-bouillon**
   de poisson
500 ml de **crème fraîche**
5 de feuilles de **kaffir** (citron
   vert thaïlandais) ciselées
650 g de **raviolis à la ricotta**
3 c. à c. de **nuoc-mâm**
sel et **poivre** noir concassé

Faites fondre le beurre dans une sauteuse et faites revenir l'ail 1 minute à feu moyen. Ajoutez les crevettes et laissez cuire 3 à 4 minutes. Réservez-les au chaud. Versez la farine en pluie dans la casserole et faites-la blondir 1 minute, en grattant le fond de la casserole avec une cuillère en bois. Versez progressivement le bouillon, puis ajoutez la crème et les feuilles de kaffir. Baissez le feu et laissez épaissir 10 minutes.

Pendant ce temps, faites cuire les pâtes dans un grand volume d'eau bouillante salée. Égouttez-les.

Incorporez le nuoc-mâm à la sauce, ajoutez les crevettes et réchauffez le mélange à feu doux. Salez et poivrez. Répartissez les pâtes sur les assiettes de service chaudes, garnissez de crevettes et nappez de sauce. Servez aussitôt.

plats épicés

poulet piments noix de cajou

Pour **4 personnes**

Confiture de piments
10 **piments rouges** longs
 séchés
4 c. à s. d'**huile d'arachide**
1 **poivron rouge** haché
1 tête d'**ail** épluchée
 et grossièrement hachée
200 g d'**échalotes** hachées
100 g de **sucre de palme**
 ou de sucre roux en poudre
2 c. à s. de **pâte de tamarin**

1 c. à s. d'**huile d'arachide**
6 **oignons de printemps**
 en tronçons de 3 cm
500 g de **blanc de poulet**
 en lamelles
50 g de **noix de cajou**
 nature grillées
1 c. à s. de **nuoc-mâm**
15 g de **basilic**

Préparez la confiture de piments : faites tremper
les piments 15 minutes dans l'eau bouillante. Égouttez-
les, épépinez-les et hachez-les grossièrement.
Mélangez-les avec l'huile, le poivron, l'ail et l'échalote
et mixez jusqu'à obtention d'une pâte lisse. Préchauffez
un wok à feu moyen, puis ajoutez la préparation
au piment. Faites cuire 15 minutes en remuant de temps
en temps. Ajoutez le sucre et le tamarin et laissez
mijoter 10 minutes, jusqu'à coloration. Retirez du wok
et réservez.

Lavez le wok et faites-le chauffer à feu vif, puis étalez
l'huile au fond. Faites revenir les oignons de printemps
pendant 1 minute, ajoutez le poulet et faites-le dorer
3 à 5 minutes, jusqu'à ce qu'il soit tendre. Incorporez
les noix de cajou, le nuoc-mâm et 4 cuillerées à soupe
de confiture de piments. Laissez cuire encore 2 minutes.
Parsemez de feuilles de basilic et servez aussitôt.

Le tamarin, fruit du tamarinier, possède une saveur
acide. Il est vendu sous la forme d'une pâte épaisse,
violet foncé, prête à l'emploi. Utilisez un wok antiadhésif
pour réaliser cette recette, car la purée de tamarin
réagit au contact du métal ordinaire et le teinte.

bœuf pimenté à la sauce aux prunes

Pour **4 personnes**

2 c. à s. d'**huile végétale**
600 g de filet de **bœuf** maigre
coupé en fines lamelles
1 gros **oignon rouge**
coupé en quartiers
1 **poivron rouge** émincé
3 c. à c. de **sauce
aux piments**
125 ml de **sauce aux prunes**
1 c. à s. de **sauce de soja**
claire
2 c. à c. de **vinaigre de riz**
1 grosse pincée
de **poivre blanc** moulu
4 **oignons de printemps**
émincés

Versez 1 cuillerée à soupe d'huile dans un wok préchauffé et faites dorer les morceaux de bœuf en plusieurs fois. Retirez-les du wok et réservez-les au chaud.

Faites chauffer le reste d'huile dans le wok et faites blondir l'oignon 1 minute. Ajoutez le poivron et prolongez la cuisson 2 à 3 minutes. Versez la sauce aux piments et remuez sur le feu pendant 1 minute. Remettez la viande dans le wok et incorporez la sauce aux prunes, la sauce de soja, le vinaigre de riz, le poivre blanc et la majeure partie des oignons.

Mélangez tous les ingrédients sur le feu pendant 1 minute, jusqu'à ce que la viande soit chaude. Parsemez d'oignons de printemps émincés et servez accompagné de riz ou de nouilles.

bœuf sauté au basilic

Pour **4 personnes**

3 **piments oiseau** épépinés
   et finement hachés
3 gousses d'**ail** pilées
2 c. s. de **nuoc-mâm**
1 c. c. de **sucre de palme**
   ou de sucre roux en poudre
3 c. s. d'**huile d'arachide**
   ou végétale
400 g de filet de **bœuf** maigre
   coupé en fines lamelles
150 g de **haricots verts**
   coupés en tronçons
   de 3 cm
30 g de **basilic**

Mélangez les piments, l'ail, le nuoc-mâm, le sucre et 1 cuillerée à soupe d'huile dans un récipient. Ajoutez le bœuf, remuez, couvrez et laissez reposer 2 heures au réfrigérateur.

Versez 2 cuillerées à soupe d'huile dans un wok préchauffé et faites sauter le bœuf à feu vif pendant 2 minutes, en procédant en deux fois. Retirez la viande du wok.

Mettez les haricots dans le wok avec 60 ml d'eau et faites-les cuire 3 à 4 minutes à feu vif, jusqu'à ce qu'ils soient tendres. Ajoutez le bœuf et le basilic. Réchauffez le tout 1 à 2 minutes et servez aussitôt.

agneau sauté à la menthe

Pour **4 personnes**

2 c. à s. d'**huile**
750 g de filet d'**agneau**
  coupé en tranches fines
4 gousses d'**ail**
  finement hachées
1 petit **oignon rouge**
  coupé en quartiers
2 petits **piments rouges**
  émincés
80 ml de **sauce d'huître**
5 c. à c. de **nuoc-mâm**
2 c. à c. de **sucre**
25 g de feuilles de **menthe**
  hachées
5 g de feuilles de **menthe**
  entières

Préchauffez un wok à feu vif, versez 1 cuillerée d'huile, puis faites revenir l'agneau et l'ail en plusieurs fois, pendant 1 à 2 minutes, jusqu'à ce que l'agneau soit presque cuit. Réservez au chaud.

Faites chauffer l'huile restante dans le wok et faites revenir l'oignon 2 minutes.

Remettez la viande dans le wok. Incorporez le piment, la sauce d'huître, le nuoc-mâm, le sucre et la menthe hachée. Continuez la cuisson 1 à 2 minutes.

Retirez le wok du feu, ajoutez les feuilles de menthe et servez ce plat accompagné de riz.

bœuf sauce satay

700 g de **rumsteck**
  coupé en cubes de 2,5 cm
2 petites gousses d'**ail** pilées
3 c. c. de **gingembre** râpé
1 c. s. de **nuoc-mâm**
2 petits **piments rouges**
  épépinés et coupés
  en julienne

Sauce satay
1 c. s. d'**huile d'arachide**
8 **échalotes**
  finement hachées
8 gousses d'**ail** pilées
4 petits **piments rouges**
  finement hachés
1 c. s. de **gingembre**
  finement haché
250 g de **beurre**
  de cacahuète
400 ml de **lait de coco**
1 c. s. de **sauce de soja**
60 g de **sucre de palme**
  ou de sucre roux en poudre
3 c. s. de **nuoc-mâm**
1 feuille de **kaffir** (citron vert
  thaïlandais)
4 c. s. de **jus de citron vert**

Mélangez la viande, l'ail et le nuoc-mâm et laissez reposer au moins 3 heures au réfrigérateur. Faites tremper 8 brochettes en bambou 1 heure dans l'eau froide.

Préparez la sauce : faites chauffer l'huile dans une casserole et faites revenir les échalotes, l'ail, le piment et le gingembre 5 minutes, en remuant régulièrement, jusqu'à ce que les échalotes soient dorées. Baissez le feu et ajoutez le beurre de cacahuète, le lait de coco, la sauce de soja, le sucre, le nuoc-mâm, la feuille de kaffir et le jus de citron. Laissez frémir 10 minutes, jusqu'à épaississement, puis retirez la feuille de kaffir.

Enfilez les cubes de bœuf sur les brochettes et faites-les griller au barbecue ou sur une plaque en fonte, en les retournant à mi-cuisson. Servez les brochettes sur un lit de riz, nappez-les de sauce et décorez de piments.

chili de bœuf

Pour **4 personnes**

60 ml de **ketjap manis**
(sauce de soja douce)
3 c. à c. de **sambal oelek**
(purée de piments
d'origine indonésienne)
2 gousses d'**ail** pilées
½ c. à c. de **coriandre**
en poudre
1 c. à s. de **sucre de palme**
ou de sucre roux en poudre
1 c. à c. d'**huile de sésame**
400 g de filet de **bœuf**
brièvement congelé
puis émincé
1 c. à s. d'**huile d'arachide**
2 c. à s. de **cacahuètes**
grillées concassées
3 c. à s. de feuilles
de **coriandre** hachées

Mélangez le ketjap manis, le sambal oelek, l'ail, la coriandre, le sucre, l'huile de sésame et 2 cuillerées à soupe d'eau dans un récipient. Ajoutez les lamelles de bœuf, mélangez bien, couvrez et laissez mariner 20 minutes au réfrigérateur.

Versez l'huile d'arachide dans un wok préchauffé et faites revenir la viande en plusieurs fois, jusqu'à ce qu'elle soit dorée de toutes parts.

Disposez la viande sur un plat de service, parsemez-la de cacahuètes grillées et de coriandre et servez avec un riz cuit à la vapeur.

chili con carne

Pour **4 personnes**

2 c. à c. de **cumin**
   en poudre
½ c. à c. de **piment**
   de la Jamaïque en poudre
2 c. à c. de **piment**
   en poudre
1 c. à c. de **paprika**
1 c. à s. d'**huile végétale**
1 gros **oignon**
   finement haché
2 gousses d'**ail** pilées
2 petits **piments rouges**
   épépinés et finement
   hachés
500 g de **bœuf** haché
400 g de **tomates** entières
   en conserve
2 c. à s. de **concentré**
   de tomates
425 g de **haricots rouges**
   en conserve, rincés
   et égouttés
250 ml de **bouillon** de bœuf
1 c. à s. d'**origan** haché
1 c. à c. de **sucre**
sel et **poivre** noir du moulin

Préchauffez une poêle à feu moyen et faites griller à sec le cumin, le piment de la Jamaïque, le piment en poudre et le paprika, jusqu'à ce que le mélange embaume. Retirez la poêle du feu.

Préchauffez l'huile dans une sauteuse et faites fondre l'oignon 2 à 3 minutes, puis faites cuire l'ail et les piments rouges 1 minute. Ajoutez la viande et faites-la dorer 4 à 5 minutes à feu vif. Émiettez-la à la fourchette.

Incorporez la tomate, le concentré de tomates, les haricots, le bouillon, l'origan, le sucre et les épices grillées. Réduisez le feu et laissez mijoter 1 heure, jusqu'à épaississement de la sauce, en remuant régulièrement. Salez et poivrez. Servez avec des tortillas et du guacamole.

daurade au piment et au citron vert

Pour 4 à 6 personnes

1 **daurade** de 1,5 kg
vidée et écaillée
1 **citron vert** coupé
en rondelles
2 petits **piments rouges**
finement hachés
4 feuilles de **coriandre**
quartiers de **citron vert**

Sauce aux piments
2 c. c. de **pâte de tamarin**
(voir p. 150)
5 **piments rouges**
longs épépinés et hachés
6 grosses gousses d'**ail**
grossièrement hachées
6 racines et tiges
de **coriandre**
8 **échalotes** hachées
3 c. c. d'**huile**
5 c. c. de **jus de citron vert**
130 g de **sucre de palme**
ou de sucre roux en poudre
3 c. s. de **nuoc-mâm**

Rincez le poisson et essuyez-le avec du papier absorbant. Pratiquez deux incisions en diagonale sur chaque face, dans la partie la plus épaisse. Farcissez-le de rondelles de citron vert, couvrez-le de film alimentaire et réservez-le au réfrigérateur.

Préparez la sauce : délayez la pâte de tamarin dans 3 cuillerées à soupe d'eau. Mixez au robot les piments, l'ail, la coriandre et les échalotes jusqu'à obtention d'une purée fine. Ajoutez un peu d'eau si nécessaire. Faites chauffer l'huile dans une casserole, versez la purée et faites cuire 5 minutes à feu moyen, jusqu'à ce que le mélange embaume. Incorporez le tamarin, le jus de citron vert et le sucre. Laissez mijoter 10 minutes, jusqu'à épaississement. Ajoutez le nuoc-mâm.

Garnissez un panier de cuisson vapeur de papier sulfurisé et posez le poisson dessus. Placez le panier au-dessus d'une casserole d'eau frémissante, en veillant à ce que le fond ne soit pas en contact avec l'eau, et faites cuire le poisson à la vapeur, sans laissez bouillir l'eau (comptez 6 minutes par kilo).

Nappez le poisson de sauce et parsemez de piment haché et de feuilles de coriandre. Accompagnez de quartiers de citron vert et de riz blanc.

poisson Bombay

Pour **4 personnes**

2 gousses d'**ail** pilées
3 petits **piments verts**
  épépinés et finement
  hachés
½ c. à c. de **curcuma**
  en poudre
½ c. à c. de **clous de girofle**
  en poudre
½ c. à c. de **cannelle**
  en poudre
½ c. à c. de **piment**
  de Cayenne en poudre
1 c. à s. de **pâte de tamarin**
  (voir p. 150)
170 ml d'**huile**
800 g de filets de **sole**
310 ml de **crème de coco**
sel
2 c. à s. de feuilles
  de **coriandre** hachées

Mélangez l'ail, le piment, le curcuma, le clou de girofle, la cannelle, le piment de Cayenne, le tamarin et 125 ml d'huile. Placez les filets de poisson dans un plat creux et nappez-les de marinade. Couvrez et laissez reposer 30 minutes au réfrigérateur.

Préchauffez le reste d'huile dans une sauteuse et faites cuire les filets de poisson 1 minute de chaque côté. Réduisez le feu et ajoutez la marinade et la crème de coco. Salez et laissez mijoter 3 à 5 minutes, jusqu'à ce que le poisson soit cuit. Si la sauce est trop liquide, retirez le poisson et faites réduire quelques minutes, puis nappez-en le poisson. Décorez de feuilles de coriandre.

keftas à la sauce tomate

Pour **4 personnes**

1 **oignon** haché
500 g d'**agneau** haché
1 morceau de **gingembre**
  râpé
3 gousses d'**ail** finement
  hachées
2 **piments verts** épépinés
  et finement hachés
½ c. à c. de **sel**
1 **œuf**
feuilles de **coriandre**

Sauce tomate
2 c. à c. de graines
  de **coriandre**
2 c. à c. de graines
  de **cumin**
3 c. à s. d'**huile**
1 bâton de **cannelle**
  de 10 cm
6 **clous de girofle**
6 gousses de **cardamome**
1 **oignon** finement haché
½ c. à c. de **curcuma**
  en poudre
1 c. à c. de **paprika**
1 c. à c. de **garam masala**
½ c. à c. de **sel**
200 g de **tomates**
  concassées en conserve
150 ml de **yaourt** brassé

Pour les boulettes, placez l'oignon dans un tamis et pressez-le avec une cuillère pour en extraire le jus. Récupérez celui-ci dans un récipient, puis ajoutez l'agneau, le gingembre, l'ail, le piment, le sel et l'œuf. Façonnez 20 boulettes de ce mélange, couvrez et réservez au réfrigérateur pendant 2 heures.

Pour la sauce, faites griller les graines de coriandre à sec dans une sauteuse jusqu'à ce qu'elles embaument. Répétez l'opération avec les graines de cumin. Pilez finement les épices grillées dans un mortier.

Faites chauffer l'huile dans une poêle à fond épais et faites revenir la cannelle, les clous de girofle, les gousses de cardamome et l'oignon jusqu'à ce que le mélange embaume. Ajoutez les épices broyées, le curcuma, le paprika, le garam masala et le sel. Laissez cuire 30 secondes. Ajoutez la tomate, retirez la poêle du feu et incorporez le yaourt. Remettez la poêle sur le feu, déposez les boulettes et portez à ébullition. Laissez mijoter 1 heure à feu très doux, en remuant de temps en temps pour éviter que les boulettes ne collent. Ajoutez un peu d'eau si la sauce accroche. Retirez toutes les épices entières avant de servir. Décorez de coriandre et servez avec du riz basmati.

Le garam masala est un mélange d'épices originaires du nord de l'Inde. Il comporte en quantités variables de la cardamome, de la cannelle, des clous de girofle, de la coriandre, du fenouil et du cumin, grillés et moulus ensemble.

poulet sauté aux légumes

Pour **4 personnes**

1 c. à s. de **farine de maïs**
2 c. à c. de **gingembre**
  finement haché
2 gousses d'**ail** pilées
1 petit **piment rouge**
  finement haché
1 c. à c. d'**huile de sésame**
60 ml de **sauce de soja**
  claire
500 g de **blancs de poulet**
  émincés
1 c. à s. d'**huile d'arachide**
1 **oignon** coupé en deux
  et émincé
115 g de **mini-épis de maïs**
  coupés en deux
425 g de **chou chinois**
  coupé dans le sens
  de la hauteur
2 c. à s. de **sauce d'huître**
60 ml de **bouillon** de volaille

Mélangez dans un récipient la moitié de la farine de maïs, le gingembre, l'ail, le piment, l'huile de sésame et 2 cuillerées à soupe de sauce de soja. Ajoutez le poulet, remuez et laissez macérer 10 minutes.

Versez l'huile d'arachide dans un wok préchauffé et faites blondir l'oignon 2 minutes. Ajoutez le poulet et laissez-le cuire 5 minutes, jusqu'à ce qu'il soit juste rose à cœur. Ajoutez les épis de maïs et laissez cuire 2 minutes, puis faites sauter le chou chinois 2 minutes.

Mélangez le reste de farine de maïs et de sauce de soja. Sans cesser de remuer, ajoutez progressivement la sauce d'huître et le bouillon de volaille. Versez cette préparation dans le wok et laissez cuire 1 à 2 minutes, jusqu'à épaississement. Servez aussitôt avec du riz à la vapeur.

crevettes cajun et salsa de tomates

Pour **4 personnes**

Mélange cajun
1 c. à s. d'**ail** en poudre
1 c. à s. d'**oignon** en poudre
2 c. à c. de **thym** séché
2 c. à c. de **poivre blanc**
en poudre
1 ½ c. à c. de **piment**
de Cayenne
½ c. à c. d'**origan** séché
2 c. à c. de **poivre noir**
concassé

Salsa de tomates
4 **tomates** olivettes
épépinées et hachées
1 **concombre libanais**
épluché, épépiné et haché
2 c. à s. d'**oignon rouge**,
coupé en petits dés
2 c. à s. de **coriandre**
hachée
1 c. à s. de **persil** plat haché
1 gousse d'**ail** pilée
2 c. à s. d'**huile d'olive**
1 c. à s. de **jus de citron vert**
sel et **poivre** du moulin

16 grosses **crevettes** crues
100 g de **beurre**, fondu
60 g de **cresson** nettoyé
4 **oignons de printemps**
hachés
quartiers de **citron**

Pour le mélange cajun, mélangez l'ail, l'oignon, le thym, le poivre blanc, le piment, l'origan et le poivre noir concassé.

Pour la salsa de tomates, mélangez la tomate, le concombre, l'oignon, la coriandre et le persil dans un saladier. Mixez l'ail, l'huile et le jus de citron, salez et poivrez. Versez cette sauce sur la salsa de tomates, mélangez et réservez au frais jusqu'au moment de servir.

Décortiquez les crevettes en gardant l'extrémité de la queue et retirez la veine dorsale. Badigeonnez les crevettes de beurre et arrosez-les généreusement de mélange cajun. Faites-les griller sur une plaque en fonte ou au barbecue, 2 à 3 minutes de chaque côté, jusqu'à ce qu'elles soient cuites.

Garnissez les assiettes de cresson et de salsa de tomates, ajoutez les crevettes et parsemez d'oignons de printemps. Servez avec les quartiers de citron.

curry de crevettes

Pour **6 personnes**

Pâte de curry

10 à 12 gros **piments rouges** séchés

1 c. à c. de **poivre blanc**

4 **échalotes** hachées

4 gousses d'**ail** émincées

1 blanc de **citronnelle** émincé

2 c. à s. de **galanga** ou de **gingembre** moulu

2 petites racines de **coriandre** hachées

1 c. à s. de **pâte de crevettes** grillée à sec

1 c. à c. de **sel**

1 c. à s. d'**huile d'arachide**

1 gousse d'**ail** pilée

1 c. à s. de **nuoc-mâm**

30 g de **noix de cajou**

310 ml de **fumet de poisson**

1 c. à s. de **whisky**

3 feuilles de **kaffir** ciselées (citron vert thaïlandais)

600 g de **crevettes** crues décortiquées, avec la queue

1 petite **carotte** coupée en quatre dans la longueur et émincée en biseau

150 g de **haricots verts** en tronçons de 2 cm

50 g de pousses de **bambou**

feuilles de **basilic**

poivre noir du moulin

Pour la pâte de curry, faites tremper les piments 15 minutes dans l'eau bouillante. Égouttez-les et hachez-les. Mélangez-les dans un verre doseur avec le poivre blanc, l'échalote, l'ail, la citronnelle, le gingembre, la coriandre, la pâte de crevette et le sel. Mixez jusqu'à obtention d'une pâte lisse. Ajoutez un peu d'eau si nécessaire.

Versez l'huile dans un wok préchauffé, ajoutez l'ail et 3 cuillerées à soupe de pâte de curry et laissez cuire 5 minutes en remuant. Versez le nuoc-mâm, les noix de cajou, le fumet de poisson, le whisky, les feuilles de kaffir, les crevettes, la carotte, les haricots et les pousses de bambou. Portez à ébullition, puis réduisez le feu et laissez frémir 5 minutes, jusqu'à ce que les crevettes soient cuites.

Décorez de feuilles de basilic et donnez un tour de moulin à poivre. Servez aussitôt.

curry de poisson thaï

Pour **4 personnes**

2 c. à s. d'**huile de soja**
  ou d'huile végétale
500 g de filets de **poisson
  blanc** à chair ferme,
  coupés en cubes de 2 cm
250 g de **crevettes** crues
  décortiquées, avec la queue
2 boîtes de 400 g de **lait
  de coco**
1 c. à s. de pâte
  de **curry rouge**
4 feuilles fraîches ou
  8 feuilles séchées de **kaffir**
  (citron vert thaïlandais)
2 c. à s. de **nuoc-mâm**
2 c. à s. de blanc de
  citronnelle finement haché
2 gousses d'**ail** pilées
1 c. à s. de **galanga**
  ou de gingembre
  finement haché
1 c. à s. de **sucre de palme**
  ou de sucre roux en poudre
1 c. à c. de **sel**
300 g de **tofu** ferme
  coupé en cubes de 1,5 cm
60 g de pousses
  de **bambou** coupées
  en julienne
1 gros **piment rouge** émincé
2 c. à c. de **jus de citron vert**
1 **oignon de printemps**
  émincé
feuilles de **coriandre** ciselées

Préchauffez l'huile dans une poêle et saisissez
le poisson et les crevettes à feu moyen, 1 minute
de chaque côté. Retirez-les de la poêle.

Versez 60 ml de lait de coco et la pâte de curry
dans la poêle et faites chauffer 2 minutes à feu moyen,
jusqu'à ce que le mélange embaume. Incorporez
le reste de lait de coco, les feuilles de kaffir, le nuoc-mâm,
la citronnelle, l'ail, le galanga, le sucre et le sel. Laissez
mijoter à feu doux 15 minutes.

Ajoutez le tofu, les pousses de bambou et le piment.
Augmentez le feu et incorporez le poisson et le jus
de citron. Poursuivez la cuisson pendant 3 minutes,
jusqu'à ce que le poisson soit cuit. Retirez du feu.

Servez le curry décoré d'oignon de printemps
et de coriandre. Accompagnez d'un riz blanc.

curry de bœuf Madras

Pour 6 personnes

1 c. à s. d'**huile végétale**
2 **oignons** finement hachés
3 gousses d'**ail**
   finement hachées
1 c. à s. de **gingembre** râpé
4 c. à s. de pâte
   de **curry madras**
1 kg de **macreuse**
   dégraissée et coupée
   en cubes de 3 cm
60 g de **concentré**
   de tomates
250 ml de **bouillon** de bœuf
6 **pommes de terre**
   nouvelles coupées en deux
155 g de **petits pois**
   surgelés

Préchauffez le four à 180 °C. Faites chauffer l'huile dans une cocotte à fond épais et faites revenir l'oignon 4 à 5 minutes, à feu moyen. Ajoutez l'ail et le gingembre et laissez cuire encore 5 minutes, jusqu'à ce que l'oignon soit légèrement doré.

Incorporez la pâte de curry et laissez chauffer 2 minutes, en remuant, jusqu'à ce qu'elle embaume. Ajoutez la viande et faites cuire 2 minutes à feu vif, jusqu'à ce qu'elle se colore. Versez alors le bouillon et le concentré de tomates. Mélangez bien.

Couvrez et faites cuire 50 minutes au four, en remuant à deux reprises pour éviter que la préparation attache. Ajoutez un peu d'eau si nécessaire. Réduisez la température du four à 160 °C. Incorporez les pommes de terre et poursuivez la cuisson pendant 30 minutes. Ajoutez enfin les petits pois et maintenez encore 10 minutes au four. Servez le curry chaud, accompagné de riz au jasmin cuit à la vapeur.

curry de légumes

Pour **4 personnes**

Pâte de curry jaune
8 petits **piments rouges**
  séchés
1 c. à c. de grains
  de **poivre noir**
2 c. à c. de graines
  de **coriandre**
2 c. à c. de graines de **cumin**
1 c. à c. de **curcuma** moulu
3 c. à c. de **galanga** haché
5 gousses d'**ail** pilées
1 c. à c. de **gingembre** râpé
5 **échalotes**
2 blancs de **citronnelle**
  1 c. à c. de **pâte**
  de crevettes
1 c. à c. de **zeste de citron**
  vert finement râpé

2 c. à s. d'**huile d'arachide**
500 ml de **crème de coco**
125 ml de **bouillon**
  de légumes
150 g de **haricots verts**
150 g de **mini-épis de maïs**
1 **aubergine** en tranches
100 g de **chou-fleur**
  détaillé en fleurettes
2 **courgettes** en tranches
1 **poivron rouge** en tranches
½ c. à s. de **nuoc-mâm**
1 c. à c. de **sucre de palme**
  ou de sucre roux en poudre

Pour la pâte de curry, faites tremper les piments 15 minutes dans l'eau bouillante. Égouttez-les et hachez-les. Préchauffez une poêle et faites sauter à sec pendant 3 minutes le poivre, la coriandre, le cumin et le curcuma. Dans un mortier, pilez le piment, les épices grillées, le galanga, l'ail, le gingembre, les échalotes, la citronnelle hachée et la pâte de crevettes, jusqu'à obtention d'une pâte souple. Incorporez le zeste de citron.

Préchauffez un wok à feu moyen, versez l'huile et faites-la tourner pour en tapisser le fond. Ajoutez 2 cuillerées à soupe de pâte de curry et laissez cuire 1 minute. Arrosez de 250 ml de crème de coco. Laissez mijoter 10 minutes à feu moyen, jusqu'à épaississement.

Versez le bouillon, puis ajoutez les légumes et le restant de crème de coco. Poursuivez la cuisson pendant 5 minutes, jusqu'à ce que les légumes soient juste tendres. Incorporez le nuoc-mâm et le sucre. Décorez de piment haché et de feuilles de coriandre.

pommes de terre sauce tomate

Pour **6 personnes**

500 g de **tomates**
  bien mûres
2 c. à s. d'**huile d'olive**
¼ d'**oignon rouge**
  finement haché
2 gousses d'**ail** pilées
3 c. à c. de **paprika**
¼ c. à c. de **piment
  de Cayenne**
1 feuille de **laurier**
1 c. à c. de **sucre**
sel et **poivre** du moulin
huile végétale pour la friture
1 kg de **pommes de terre**
  roseval épluchées et
  coupées en cubes de 2 cm
1 c. à s. de **persil** plat haché

Incisez la base de chaque tomate en croix. Plongez-les dans un récipient d'eau bouillante pendant 1 minute, puis dans l'eau froide, et pelez-les en partant de l'incision. Coupez les tomates en deux et épépinez-les. Hachez la chair.

Préchauffez l'huile d'olive dans une poêle et faites dorer l'oignon 3 minutes à feu moyen. Ajoutez l'ail, le paprika et le piment de Cayenne et laissez cuire 1 à 2 minutes. Versez 100 ml d'eau, avec la tomate, le laurier et le sucre, et faites mijoter 20 minutes, en remuant de temps en temps. Laissez tiédir. Retirez la feuille de laurier et mixez la préparation. Salez et poivrez généreusement. Maintenez la sauce au chaud sur le feu pendant que vous préparez les pommes de terre.

Remplissez au tiers une sauteuse d'huile et faites chauffer celle-ci à 180 °C. Faites frire les pommes de terre en plusieurs fois pendant 10 minutes, jusqu'à ce qu'elles soient dorées et croustillantes. Égouttez-les sur du papier absorbant. Disposez les pommes de terre sur un plat de service et nappez-les de sauce tomate. Décorez de persil.

masala de pommes de terre

Pour **4 personnes**

2 c. à s. d'**huile**
1 c. à c. de graines
  de **moutarde noire**
10 feuilles de **curry**
¼ c. à c. de **curcuma**
  en poudre
1 morceau de **gingembre**
  de 1 cm râpé
2 **piments verts**
  finement hachés
2 **oignons** hachés
500 g de **pommes de terre**
  coupées en cubes de 2 cm
1 c. à s. de **pâte de tamarin**
  (voir p. 150)
sel

Préchauffez l'huile dans une poêle à fond épais, ajoutez les graines de moutarde et couvrez. Lorsqu'elles commencent à éclater, incorporez les feuilles de curry, le curcuma, le gingembre, le piment et l'oignon. Laissez mijoter sans couvrir, jusqu'à ce que l'oignon soit tendre.

Versez 250 ml d'eau dans la poêle, ajoutez les pommes de terre et portez à ébullition. Quand les pommes de terre sont tendres et presque réduites en purée, augmentez le feu pour que tout le liquide de cuisson s'évapore. Ajoutez alors le tamarin et salez. Servez aussitôt.

Cette préparation sert traditionnellement à farcir des feuilles de riz, que l'on fait ensuite dorer dans l'huile.

chou-fleur à la moutarde

Pour **4 personnes**

2 c. à c. de graines
de **moutarde** jaune
2 c. à c. de graines
de **moutarde noire**
1 c. à c. de **curcuma**
en poudre
1 c. à c. de **purée de tamarin**
(voir p. 150)
2 c. à s. d'**huile végétale**
2 gousses d'**ail**
finement hachées
½ **oignon** finement haché
600 g de **chou-fleur**
détaillé en fleurettes
3 **piments doux verts**
épépinés et finement
hachés
2 c. à c. de graines de **nigelle**
ou de sésame
sel

Broyez finement les graines de moutarde au moulin
ou dans un mortier. Ajoutez le curcuma, le tamarin
et 100 ml d'eau, puis mélangez jusqu'à obtention
d'une pâte homogène et un peu liquide.

Faites chauffer 2 cuillerées à soupe d'huile dans
une cocotte à fond épais et faites dorer l'ail et l'oignon.
Faites sauter le chou-fleur en plusieurs fois, en ajoutant
un peu d'huile si nécessaire, jusqu'à ce qu'il soit
légèrement doré. Retirez-le de la cocotte. Ajoutez
le piment et faites-le frire 1 minute.

Remettez le chou-fleur dans la cocotte. Arrosez de pâte
à la moutarde, parsemez de graines de nigelle et remuez
bien. Portez à ébullition, puis baissez le feu, couvrez
et laissez mijoter jusqu'à ce que toute la sauce soit
évaporée (vous pouvez ajouter un peu d'eau si la sauce
attache avant que le chou-fleur soit tendre). Salez
et servez avec du riz blanc.

pois chiches à l'aigre-douce

Pour **6 personnes**

500 g de **pois chiches**

2 c. à s. de **ghee**
(beurre clarifié) ou d'huile

2 gros **oignons rouges**
émincés

1 morceau de **gingembre**
de 2 cm émincé

2 c. à c. de **sucre**

2 c. à c. de **coriandre**
en poudre

2 c. à c. de **cumin**
en poudre

1 pincée de **piment**
en poudre

1 c. à c. de **garam masala**
(voir p. 168)

sel

3 c. à s. de **pâte de tamarin**
(voir p. 150)

4 **tomates** bien mûres
hachées

4 c. à s. de feuilles de
coriandre ou de **menthe**
finement hachées

Faites tremper les pois chiches toute une nuit
dans 2 litres d'eau. Égouttez-les, puis placez-les
dans une grande casserole avec 2 litres d'eau froide.
Portez à ébullition et écumez. Couvrez et laissez frémir
à feu doux 1 heure 30. Il est essentiel qu'ils soient
moelleux à ce stade car ils n'auront plus l'occasion
de s'attendrir après addition de la sauce (prolongez
la cuisson si nécessaire). Égouttez-les.

Préchauffez l'huile dans une poêle à fond épais
et faites blondir l'oignon, puis incorporez le gingembre.
Ajoutez les pois chiches, le sucre, la coriandre, le cumin,
le piment, le garam masala et 1 pincée de sel. Remuez.
Incorporez le tamarin et la tomate et laissez frémir
2 à 3 minutes. Versez 500 ml d'eau, portez à ébullition
et faites mijoter jusqu'à épaississement. Ajoutez
les feuilles de coriandre. Servez ce plat accompagné
de pain indien.

lentilles à l'indienne

Pour **8 personnes**

500 g de **lentilles jaunes**
  (toor dal)
5 morceaux de **kokum**
  de 5 cm
2 c. à c. de graines
  de **coriandre**
2 c. à c. de graines
  de **cumin**
2 c. à s. d'**huile**
2 c. à c. de graines
  de **moutarde noire**
10 feuilles de **curry**
7 clous de **girofle**
1 bâton de **cannelle**
  de 10 cm
5 **piments verts** finement
  hachés
½ c. à c. de **curcuma**
  en poudre
400 g de **tomates**
  concassées en conserve
20 g de **sucre de palme**
  ou de sucre roux
sel
feuilles de **coriandre**

Faites tremper les lentilles 2 heures dans l'eau froide. Rincez le kokum et faites-le ramollir quelques minutes dans l'eau froide. Égouttez les lentilles et mettez-les dans une casserole à fond épais avec 1 litre d'eau et le kokum. Portez à ébullition, puis laissez frémir 40 minutes jusqu'à ce que les lentilles soient tendres.

Faites chauffer une poêle à feu doux et faites griller à sec les graines de coriandre jusqu'à ce qu'elles embaument. Retirez-les et procédez de même avec les graines de cumin. Broyez finement les graines au moulin ou dans un mortier.

Faites chauffer l'huile dans une sauteuse et faites éclater les graines de moutarde. Ajoutez les feuilles de curry, les clous de girofle, la cannelle, le piment, le curcuma et les épices broyées. Laissez cuire 1 minute. Incorporez les tomates et continuez la cuisson 2 à 3 minutes. Saupoudrez de sucre, versez cette préparation sur les lentilles et laissez mijoter 10 minutes. Salez. Décorez de feuilles de coriandre.

Le kokum est le fruit séché du guttier ou garcinia. Il introduit une saveur fruitée acide dans la cuisine indienne. On le trouve dans les épiceries exotiques.

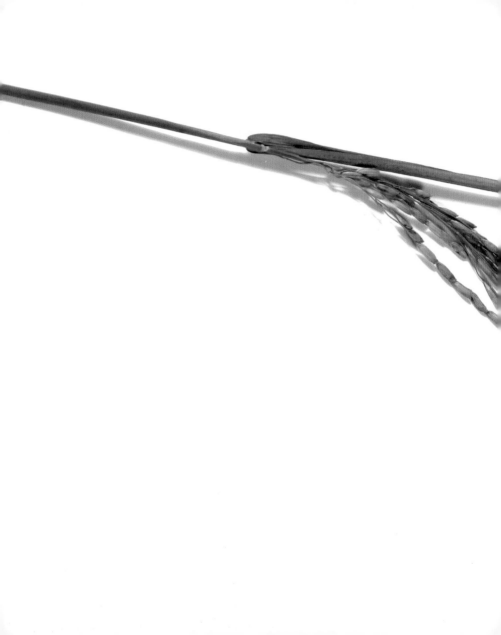

nouilles et riz

nouilles sautées aux Saint-Jacques

Pour **4 personnes**

500 g de **nouilles hokkien**
  (nouilles japonaises)
60 ml d'**huile d'arachide**
20 noix de **Saint-Jacques**
1 gros **oignon** émincé
3 gousses d'**ail** pilées
1 c. à s. de **gingembre** râpé
1 c. à s. de **purée**
  de piments
150 g de **chou chinois**
  coupé en lamelles de 5 cm
60 ml de **bouillon** de volaille
2 c. à s. de **sauce de soja**
  claire
2 c. à s. de **ketjap manis**
  (sauce de soja douce)
15 g de feuilles de **coriandre**
90 g de **germes de soja**
1 **piment rouge** long
  épépiné et émincé
1 c. à c. d'**huile de sésame**
1 c. à s. de **vin de riz**
  chinois

Placez les nouilles dans un récipient résistant à la chaleur, couvrez-les d'eau bouillante et laissez-les tremper 1 minute. Égouttez-les, rincez-les sous l'eau froide et égouttez-les à nouveau.

Préchauffez un wok à feu vif, versez 2 cuillerées à soupe d'huile et faites revenir les noix de Saint-Jacques 20 secondes de chaque côté. Retirez-les du wok et essuyez celui-ci. Versez le reste d'huile dans le wok et faites fondre l'oignon 2 minutes. Ajoutez l'ail et le gingembre et laissez cuire 30 secondes. Incorporez enfin la purée de piments et laissez-la cuire 1 minute, jusqu'à ce qu'elle embaume.

Ajoutez le chou chinois, les nouilles, le bouillon, la sauce de soja et le ketjap manis. Faites chauffer 2 à 3 minutes, afin que les nouilles absorbent la majeure partie du liquide. Ajoutez les noix de Saint-Jacques, la coriandre, les germes de soja, le piment, l'huile de sésame et le vin de riz dans le wok. Mélangez sur le feu et servez aussitôt.

nouilles hokkien sauce aigre-douce

Pour **4 à 6 personnes**

450 g de **nouilles hokkien**
2 c. à s. d'**huile végétale**
375 g de **côtes d'agneau**
  coupées en fines lamelles
70 g d'**échalotes** émincées
3 gousses d'ail pilées
2 c. à c. de **gingembre**
  finement haché
1 petit **piment rouge**
  épépiné et finement haché
3 c. à c. de **pâte de curry
  rouge**
125 g de **pois gourmands**
  (mange-tout) coupés
  en deux
1 petite **carotte** en julienne
125 ml de **bouillon** de volaille
15 g de **sucre de palme**
  ou de sucre roux en poudre
1 c. à s. de **jus de citron vert**
feuilles de **basilic**

Placez les nouilles dans un saladier, couvrez-les d'eau bouillante et laissez-les tremper 1 minute. Égouttez et réservez.

Faites chauffer 1 cuillerée d'huile dans un wok et faites revenir l'agneau 2 à 3 minutes à feu vif. Réservez dans une assiette.

Ajoutez le reste d'huile et faites sauter l'échalote, l'ail, le gingembre et le piment 1 à 2 minutes. Incorporez la pâte de curry et laissez cuire 1 minute. Ajoutez les pois gourmands, la carotte et l'agneau. Continuez la cuisson à feu vif 1 à 2 minutes, en remuant sans cesse.

Versez le bouillon, le sucre et le jus de citron, mélangez et laissez cuire 1 minute. Répartissez dans des bols de service et décorez de feuilles de basilic.

pavé de bœuf au tamarin

Pour **4 personnes**

Sauce au tamarin
1 c. à s. de **pâte de tamarin**
  (voir p. 150)
1 c. à s. d'**huile végétale**
1 **oignon** coupé en petits dés
2 c. à s. de **sucre de palme**
  ou de sucre roux en poudre

500 g de **nouilles hokkien**
  (nouilles japonaises)
sel et **poivre** noir du moulin
4 **steaks de bœuf** dans le filet
  d'environ 115 g chacun
2 c. à s. d'**huile**
3 gousses d'**ail** pilées
1 petit **piment** épépiné
  et coupé en dés
300 g de petits **haricots
  verts**
100 g de **pois gourmands**
1 c. à s. de **mirin**
  (vin de riz doux)
15 g de feuilles de **coriandre**
  finement hachées

Préparez la sauce : diluez la pâte de tamarin dans 250 ml d'eau chaude. Faites chauffer l'huile dans une casserole et faites dorer l'oignon 8 minutes à feu moyen. Saupoudrez de sucre et remuez jusqu'à ce qu'il soit dissous. Versez le tamarin et laissez frémir 5 minutes, jusqu'à épaississement.

Rincez les nouilles à l'eau chaude dans une passoire pour les ramollir et séparez-les à la main. Égouttez.

Salez et poivrez les steaks. Préchauffez la moitié de l'huile dans une poêle et faites cuire les steaks 3 à 4 minutes de chaque côté. Retirez la poêle du feu et réservez au chaud.

Faites chauffer le reste d'huile dans un wok et faites sauter l'ail et le piment 30 secondes à feu vif. Ajoutez les haricots et les pois gourmands et poursuivez la cuisson 2 minutes. Incorporez le mirin et la coriandre. Ajoutez les nouilles et remuez sur le feu jusqu'à ce que le mélange soit chaud.

Répartissez les nouilles dans quatre assiettes. Déposez les steaks dessus et arrosez de sauce.

nouilles au porc et au poulet

Pour **4 personnes**

4 c. à c. d'**huile d'arachide**

1 gros **oignon**
finement haché

2 gousses d'**ail**
finement hachées

1 morceau de **gingembre**
émincé

500 g de **cuisses de poulet**
émincées

175 g de **chou chinois** ciselé

1 **carotte** en julienne

200 g de **porc** au barbecue
(voir p. 38) émincé

3 c. à c. de **vin de riz chinois**

2 c. à c. de **sucre**

150 g de **pois gourmands**
(mange-tout)

375 ml de **bouillon** de volaille

1 c. à s. de **sauce de soja**
claire

225 g de **nouilles pancit
canton**

1 **citron** coupé en quartiers

Versez l'huile dans un wok préchauffé et faites sauter l'oignon 2 minutes, puis l'ail et le gingembre 1 minute. Ajoutez le poulet et faites-le revenir 2 à 3 minutes, jusqu'à ce qu'il soit doré. Incorporez le chou, la carotte, le porc, le vin de riz et le sucre et poursuivez la cuisson 3 à 4 minutes. Ajoutez les pois gourmands et laissez cuire 1 minute. Retirez la préparation du wok.

Versez le bouillon et la sauce de soja et portez à ébullition. Ajoutez les nouilles et laissez cuire 3 à 4 minutes en remuant.

Remettez le poulet, le porc et les légumes dans le wok et mélangez-les 1 minute avec les nouilles. Répartissez dans quatre assiettes de service chaudes et accompagnez de quartiers de citron.

Les nouilles pancit canton sont principalement consommées aux Philippines et en Chine, où on les appelle « nouilles de longue vie » car leur longueur représente un souhait de longévité pour ceux qui les dégustent. C'est pourquoi on ne doit pas les couper. Ces nids ronds de nouilles précuites et frites sont fragiles et se cassent facilement. On les trouve dans les épiceries asiatiques.

nouilles aubergines petits pois

Pour **4 personnes**

250 g de **nouilles de sarrasin**
(soba)
3 c. à c. de **dashi** (bouillon
japonais) en granulés
1 ½ c. à s. de **miso**
(pâte fermentée à base
de haricots de soja)
1 ½ c. à s. de **sauce de soja
japonaise**
1 ½ c. à s. de **mirin**
(vin de riz doux)
2 c. à s. d'**huile végétale**
½ c. à c. d'**huile de sésame**
6 **mini-aubergines**
en tranches de 1 cm
2 gousses d'**ail** pilées
1 c. à s. de **gingembre** râpé
150 g de **petits pois** cuits
2 **oignons de printemps**
émincés en biseau
graines de **sésame** grillées

Faites cuire les nouilles 5 minutes dans un grand
volume d'eau bouillante. Égouttez-les et rafraîchissez-les
sous l'eau froide.

Faites fondre le dashi dans 375 ml d'eau bouillante.
Incorporez le miso, la sauce de soja et le mirin.

Faites chauffer l'huile de sésame et l'huile végétale
dans un wok et faites dorer les rondelles d'aubergines
3 minutes de chaque côté. (Si le wok n'est pas très
grand, procédez en deux fois.)

Ajoutez l'ail et le gingembre, puis le bouillon. Portez
à ébullition avant de baisser le feu et laissez frémir
10 minutes. Quand l'aubergine est cuite, ajouter les
nouilles et les petits pois et réchauffez le tout 2 minutes.

Décorez d'oignons de printemps et de graines
de sésame. Servez aussitôt.

paella au poulet et au porc

Pour **6 personnes**

60 ml d'**huile d'olive**
1 gros **poivron rouge**
  épépiné et coupé
  en lamelles de 5 mm
  d'épaisseur
600 g de **cuisses de poulet**
  coupées en cubes de 3 cm
200 g de **chorizo** coupé
  en rondelles de 2 cm
200 g de **champignons**
  émincés
3 gousses d'**ail** pilées
1 c. à s. de **zeste de citron**
700 g de **tomates**
  grossièrement hachées
200 g de **haricots verts**
  coupés en tronçons de
  3 cm
1 c. à s. de **romarin** haché
2 c. à s. de **persil plat**
  haché
¼ c. à c. de stigmates
  de **safran** infusés dans
  60 ml d'eau chaude
440 g de **riz grain rond**
750 ml de **bouillon**
  de volaille chaud
6 quartiers de **citron**

Faites chauffer l'huile à feu moyen dans un plat
à paella ou dans une grande poêle profonde et faites
fondre le poivron 6 minutes. Réservez.

Mettez le poulet dans le plat et faites-le revenir
10 minutes sur toutes les faces, puis faites revenir
le chorizo 5 minutes. Réservez.

Faites cuire les champignons, l'ail et le zeste de citron
5 minutes à feu doux. Incorporez la tomate et le poivron
et poursuivez la cuisson pendant 5 minutes.

Ajoutez les haricots, le romarin, le persil, le safran
avec son eau de trempage, le riz, le poulet et le chorizo.
Ne remuez pas. Réduisez le feu et laissez mijoter
30 minutes. Retirez le plat du feu, couvrez et laissez
reposer 10 minutes. Servez la paella accompagnée
de quartiers de citron.

Ne remuez pas la paella durant la cuisson et ne grattez
pas le fond du plat pour que puisse se former une fine
croûte de riz croustillant. L'usage d'une poêle antiadhésive est déconseillé. On sert traditionnellement
la paella dans son plat de cuisson.

risotto à la patate douce

Pour **4 personnes**

8 tranches de **jambon cru**
1,25 l de **bouillon**
   de volaille
100 ml d'**huile d'olive**
   vierge extra
1 **oignon rouge** coupé
   en quartiers
600 g de **patates douces**
   à chair orange coupées
   en cubes de 2,5 cm
440 g de **riz à risotto**
   (arborio, vialone nano
   ou carnaroli)
75 g de copeaux
   de **parmesan**
3 c. à s. de feuilles
   de **sauge** ciselées
sel et **poivre** du moulin

Faites griller les tranches de jambon 1 à 2 minutes de chaque côté, jusqu'à ce qu'elles soient croustillantes.

Faites chauffer le bouillon dans une casserole et maintenez un léger frémissement.

Préchauffez 60 ml d'huile dans une casserole et faites fondre l'oignon 2 à 3 minutes à feu moyen. Ajoutez la patate douce et le riz. Mélangez bien.

Versez une louche de bouillon chaud et laissez mijoter à feu moyen, en remuant constamment. Quand tout le bouillon est absorbé, versez une autre louche. Continuez à mouiller ainsi pendant 20 minutes, jusqu'à ce que le riz soit crémeux.

Incorporez les copeaux de parmesan et 2 cuillerées à soupe de sauge. Salez et poivrez. Répartissez dans quatre assiettes creuses et arrosez d'un filet d'huile. Ciselez le jambon et disposez-le sur le risotto. Parsemez du reste de sauge.

nouilles de la mer

Pour 4 personnes

6 **champignons shiitake**
 déshydratés
400 g de **nouilles fraîches**
 aux œufs
1 blanc d'**œuf**
 légèrement battu
3 c. à c. de **farine de maïs**
1 c. à c. de grains de **poivre
 du Sichuan** concassés
250 g de **poisson blanc**
 à chair ferme coupé
 en cubes de 2 cm
200 g de **crevettes** crues
 décortiquées
3 c. à s. d'**huile d'arachide**
3 **oignons de printemps**
 émincés en biseau
2 gousses d'**ail** pilées
1 c. à s. de **gingembre** râpé
225 g de pousses
 de **bambou** émincées
2 c. à s. de **sauce
 aux piments**
1 c. à s. de **sauce de soja**
2 c. à s. de **vin de riz**
185 ml de **bouillon**
 de légumes

Faites tremper les champignons dans 125 ml d'eau chaude pendant 20 minutes. Égouttez-les. Supprimez les pieds et émincez finement les chapeaux.

Faites cuire les nouilles 2 à 3 minutes dans un grand volume d'eau bouillante, jusqu'à ce qu'elles soient al dente. Égouttez-les.

Mixez le blanc d'œuf, la farine de maïs et la moitié du poivre, jusqu'à obtention d'une pâte lisse. Plongez le poisson et les crevettes dans cette pâte. Préchauffez 2 cuillerées à soupe d'huile dans un wok. Égouttez l'excès de pâte avant de faire frire les beignets en plusieurs tournées, à feu vif. Égouttez sur du papier absorbant.

Essuyez le wok et faites chauffer le reste d'huile. Faites revenir les oignons de printemps, l'ail, le gingembre, les pousses de bambou, les champignons et le restant de poivre 1 minute à feu vif, en remuant. Incorporez la sauce aux piments, la sauce de soja, le vin de riz, le bouillon et les nouilles. Ajoutez les beignets et mélangez rapidement sur le feu. Servez aussitôt.

nouilles soba aux aubergines

Pour **4 à 6 personnes**

10 g de **champignons shiitake** déshydratés
350 g de **nouilles soba** (nouilles de sarrasin)
2 c. à c. d'**huile de sésame**
3 c. à s. de **tahini** (pâte de sésame)
1 c. à s. **sauce de soja claire**
1 c. à s. **sauce de soja brune**
1 c. à s. de **miel**
2 c. à s. de **jus de citron**
3 c. à s. d'**huile d'arachide**
2 **aubergines** coupées en lanières
2 **carottes** en julienne
10 **oignons de printemps** émincés en biseau
6 **champignons shiitake** frais émincés
50 g de feuilles de **coriandre** grossièrement hachées

Faites tremper les champignons 10 minutes dans 125 ml d'eau chaude. Égouttez, réservez l'eau. Retirez les pieds et émincez les chapeaux.

Faites cuire les nouilles 5 minutes dans l'eau bouillante. Rafraîchissez-les sous l'eau froide, égouttez-les puis arrosez-les d'une cuillerée d'huile de sésame et remuez.

Mixez le tahini, les sauces de soja, le miel, le jus de citron, 2 cuillerées à soupe de l'eau de trempage des champignons et le reste d'huile de sésame, jusqu'à obtention d'une sauce lisse.

Faites chauffer 2 cuillerées à soupe d'huile d'arachide à feu vif et faites revenir les aubergines 4 à 5 minutes, en les retournant régulièrement, jusqu'à ce qu'elles soient dorées. Égouttez-les sur du papier absorbant.

Faites chauffer le reste d'huile d'arachide et faites cuire 2 minutes la carotte, les oignons de printemps et les champignons, en remuant constamment. Quand ils sont juste tendres, coupez le feu, incorporez les nouilles, les aubergines et la sauce au tahini. Décorez de feuilles de coriandre et servez aussitôt.

poisson gingembre tomate

Pour **4 personnes**

1 c. à s. d'**huile d'arachide**
1 **oignon** coupé en quartiers
1 petit **piment rouge** émincé
3 gousses d'**ail** pilées
1 morceau de **gingembre**
  en julienne
½ c. à c. de **curcuma**
  en poudre
400 g de **tomates**
  concassées en conserve
1 l de **bouillon** de volaille
1 c. à s. de **pâte de tamarin**
  (voir p. 150)
85 g de **nouilles de riz**
  sèches plates
600 g de filets de **daurade**
  coupés en cubes de 3 cm
feuilles de **coriandre**

Préchauffez le four à 220 °C. Faites chauffer l'huile dans une poêle et faites fondre l'oignon 1 à 2 minutes. Ajoutez le piment, l'ail et le gingembre et laissez cuire encore 30 secondes. Incorporez le curcuma, la tomate, le bouillon et la pâte de tamarin. Portez à ébullition, puis versez la préparation dans un plat à gratin. Couvrez et faites cuire 40 minutes au four.

Mettez les nouilles dans un récipient résistant à la chaleur, couvrez-les d'eau bouillante et laissez tremper 15 à 20 minutes, jusqu'à ce qu'elles soient al dente. Égouttez, rincez et égouttez à nouveau.

Sortez le plat du four et incorporez les nouilles. Ajoutez le poisson et remettez 10 minutes au four, jusqu'à que le poisson soit cuit. Parsemez de feuilles de coriandre avant de servir.

soupe de nouilles au bœuf

Pour **4 personnes**

Sauce
½ à 1 c. à c. de **dashi**
   (bouillon japonais)
   en granulés
80 ml de **sauce de soja**
2 c. à s. de **saké**
2 c. à s. **mirin**
   (vin de riz doux)
1 c. à s. de **sucre semoule**

300 g de **vermicelles de riz**
50 g de **saindoux**
5 gros **oignons**
   de printemps
   en lamelles de 1 cm
16 **champignons shiitake**
   frais coupés grossièrement
800 g de **rumsteck**
   en fines lamelles
100 g de **cresson**
4 **œufs** (facultatif)

Pour la sauce, faites fondre le dashi dans 125 ml d'eau bouillante. Incorporez la sauce de soja, le saké, le mirin et le sucre semoule.

Mettez les vermicelles dans un récipient, couvrez-les d'eau bouillante et laissez-les tremper 2 minutes. Rincez à l'eau froide et égouttez bien.

Faites fondre le saindoux dans une poêle à feu moyen et faites dorer 1 à 2 minutes les oignons de printemps, les champignons et le bœuf, en remuant constamment. Ajoutez la sauce et le cresson. Laissez cuire 1 minute. La sauce doit juste couvrir les ingrédients.

Répartissez les nouilles au bœuf dans les bols de service et arrosez de sauce. Si vous le souhaitez, cassez un œuf dans chaque bol et mélangez-le avec des baguettes pour le faire cuire partiellement.

Pour découper plus facilement le bœuf, enveloppez-le dans un film alimentaire et mettez-le 40 minutes au congélateur.

vermicelles de riz à la sri-lankaise

Pour 4 personnes

225 g de **vermicelles de riz**
4 c. à s. d'**huile**
50 g de **noix de cajou**
½ **oignon** haché
3 **œufs**
150 g de **petits pois**
10 feuilles de **curry**
2 **carottes** râpées
2 **poireaux** émincés
1 **poivron rouge** en dés
2 c. à s. de **ketchup**
1 c. à s. de **sauce de soja**
1 c. à c. de **sel**

Faites tremper les vermicelles 30 minutes dans l'eau froide, puis égouttez-les et transférez-les dans une casserole d'eau bouillante. Retirez la casserole du feu et laissez reposer 3 minutes. Égouttez-les et rafraîchissez-les sous l'eau froide.

Préchauffez 1 cuillerée à soupe d'huile dans une poêle et faites dorer les noix de cajou. Retirez les noix et faites rissoler l'oignon, puis égouttez-le sur du papier absorbant. Faites cuire les œufs 10 minutes dans l'eau bouillante. Rafraîchissez-les aussitôt dans l'eau froide. Écalez-les quand ils sont froids et coupez-les en quartiers. Faites cuire les petits pois à l'eau bouillante.

Faites chauffer le reste d'huile dans une poêle et faites revenir rapidement les feuilles de curry. Ajoutez la carotte, le poireau et le poivron et remuez 1 minute. Versez le ketchup, la sauce de soja, le sel et les vermicelles. Remuez vivement pour éviter que les vermicelles n'attachent au fond de la poêle. Présentez les vermicelles sur un plat de service et garnissez de petits pois, de noix de cajou, d'oignon frit et de quartiers d'œuf.

risotto aux champignons

Pour 4 personnes

30 g de **cèpes** déshydratés
1 l de **bouillon** de volaille
100 g de **beurre**
1 **oignon** finement haché
250 g de **champignons
de Paris** émincés
2 gousses d'**ail** pilées
385 g de **riz pour risotto**
(arborio, vialone nano
ou carnaroli)
sel et **poivre** du moulin
1 pincée de **noix
de muscade** en poudre
1 c. à s. de **persil** finement
haché
45 g de **parmesan** râpé

Faites tremper les cèpes dans 500 ml d'eau chaude et laissez reposer 15 minutes. Égouttez-les et pressez-les pour en extraire toute l'eau ; réservez celle-ci. Filtrez l'eau de trempage des cèpes et ajoutez du bouillon pour obtenir 1 litre de liquide. Faites chauffer à feu moyen et laissez frémir.

Faites fondre le beurre dans une sauteuse à fond épais et faites revenir l'oignon à feu doux sans qu'il se colore. Ajoutez les champignons de Paris et les cèpes et faites-les revenir quelques minutes. Incorporez l'ail, remuez, puis ajoutez le riz. Salez et poivrez. Remuez bien.

Versez une louche de bouillon et faites cuire le riz à feu moyen en remuant constamment. Quand le bouillon est absorbé, versez une autre louche de bouillon. Continuez à mouiller ainsi pendant environ 20 minutes, jusqu'à ce que le riz soit crémeux. Ajoutez un peu de bouillon si nécessaire.

Incorporez la noix de muscade, le persil et la moitié du parmesan, puis mélangez bien. Saupoudrez avec le reste du parmesan et servez aussitôt.

risotto à la milanaise

Pour **4 personnes**

185 ml de **vermouth blanc
  sec** ou de vin blanc
1 grosse pincée de stigmates
  de **safran**
1,5 l de **bouillon** de volaille
100 g de **beurre**
70 g de **moelle** de bœuf
1 gros **oignon**
  finement haché
1 gousse d'**ail** pilée
sel et **poivre** du moulin
350 g de **riz à risotto**
  (arborio, vialone nano
  ou carnaroli)
150 g de **parmesan** râpé

Versez le vermouth dans un récipient, ajoutez le safran et laissez macérer 10 minutes. Faites chauffer le bouillon de volaille dans une casserole et maintenez un léger frémissement.

Faites fondre le beurre et la moelle de bœuf dans une casserole à fond épais et faites fondre l'ail et l'oignon. Ajoutez le riz et baissez le feu. Salez et poivrez. Mélangez bien pour que les grains de riz soient enrobés uniformément de beurre et de moelle.

Versez le vermouth et le safran et augmentez le feu jusqu'au point d'ébullition. Faites cuire à feu moyen en remuant sans cesse, jusqu'à complète absorption du liquide.

Versez une louche de bouillon et laissez cuire en remuant constamment. Quand tout le bouillon est absorbé, versez une autre louche. Continuez à mouiller ainsi pendant 20 minutes, jusqu'à ce que le riz soit cuit. Ajoutez un peu plus de bouillon ou d'eau si nécessaire.

Retirez du feu, incorporez 100 g de parmesan et mélangez bien. Saupoudrez le reste du parmesan au moment de servir.

riz pulao aux oignons et aux épices

Pour **4 personnes**

200 g de **riz basmati**
500 ml de **bouillon** de volaille
6 c. à s. de **ghee** (beurre clarifié) ou d'huile
5 gousses de **cardamome**
1 bâton de **cannelle** de 5 cm
6 **clous de girofle**
8 grains de **poivre noir**
1 **oignon** émincé
sel

Passez le riz sous l'eau froide jusqu'à ce que l'eau de rinçage soit claire. Égouttez.

Faites chauffer le bouillon dans une casserole jusqu'au point d'ébullition.

Pendant ce temps, faites chauffer 2 cuillerées à soupe de ghee dans une casserole à fond épais, à feu moyen. Ajoutez la cardamome, la cannelle, les clous de girofle et les grains de poivre et faites sauter 1 minute. Réduisez le feu, ajoutez le riz et remuez constamment pendant 1 minute. Versez le bouillon, salez et portez à ébullition. Couvrez et laissez frémir 15 minutes à feu doux. Laissez reposer 10 minutes avant de retirer le couvercle. Aérez légèrement le riz avant de servir.

Pendant ce temps, faites chauffer le reste du ghee dans une poêle et faites fondre l'oignon. Augmentez le feu et faites frire l'oignon jusqu'à ce qu'il soit très brun. Égouttez-le sur du papier absorbant et garnissez-en le pulao. Servez avec un curry ou un ragoût.

bœuf teriyaki aux nouilles croustillantes

Pour **4 personnes**

450 g d'**aloyau** coupé
  en fines lamelles
125 ml de **marinade teriyaki**
huile végétale pour
  la friture
100 g de **vermicelles**
  de riz secs
2 c. à s. d'**huile d'arachide**
1 **oignon** émincé
3 gousses d'**ail** pilées
1 **piment rouge** épépiné
  et finement haché
200 g de **carottes**
  en julienne
600 g de **chou chinois**
  coupé en tronçons de 3 cm
1 c. à s. de **jus de citron vert**

Mélangez le bœuf et la marinade dans un récipient et laissez macérer 2 heures.

Versez de l'huile dans un wok jusqu'au tiers de sa hauteur et faites-la chauffer à 190 °C. Séparez les vermicelles en petits paquets et faites-les sauter jusqu'à ce qu'ils croustillent. Égouttez sur du papier absorbant. Laissez refroidir l'huile dans un récipient, puis jetez-la.

Faites chauffer à feu très vif 1 cuillerée à soupe d'huile d'arachide dans le wok et faites sauter le bœuf 1 minute de chaque côté. Réservez. Faites chauffer le reste d'huile et faites revenir l'oignon 3 à 4 minutes, puis l'ail et le piment quelques secondes. Ajoutez la carotte et le chou et laissez cuire 3 à 4 minutes à feu vif.

Remettez le bœuf dans le wok avec le jus de citron et la marinade. Laissez cuire 3 minutes à feu vif, puis ajoutez les vermicelles. Remuez délicatement et servez aussitôt.

vermicelles croquants au poulet

Pour **4 à 6 personnes**

4 **champignons
 chinois** déshydratés
huile de friture
100 g de **vermicelles
 de riz** secs
100 g de **tofu** frit
 coupé en allumettes
4 gousses d'**ail** pilées
1 **oignon** haché
1 **blanc de poulet** émincé
8 **haricots verts** émincés
 en biseau
6 **oignons de printemps**
 émincés en biseau
8 **crevettes** crues
 décortiquées
30 g de **germes de soja**
feuilles de **coriandre**

Sauce
1 c. à s. de sauce de **soja**
3 c. à s. de **vinaigre blanc**
5 c. à s. de **sucre**
3 c. à s. de **nuoc-mâm**
1 c. à s. de **sauce
 aux piments douce**

Faites tremper les champignons 20 minutes dans l'eau bouillante. Égouttez-les, supprimez les pieds et émincez-les finement.

Versez de l'huile dans un wok jusqu'au tiers de sa hauteur et faites-la chauffer à 180 °C. Faites frire les vermicelles 5 secondes, en plusieurs fois, jusqu'à ce qu'ils soient croustillants. Réservez. Ajoutez le tofu dans le wok et faites-le frire 1 minute. Égouttez-le sur du papier absorbant. Videz l'huile en gardant la valeur de 2 cuillerées à soupe.

Réchauffez l'huile à feu vif et faites sauter l'ail et l'oignon 1 minute. Ajoutez le poulet, les champignons, les haricots et la moitié des oignons de printemps. Laissez cuire 2 minutes avant d'incorporer les crevettes. Prolongez la cuisson encore 2 minutes, jusqu'à ce que les crevettes deviennent roses.

Mélangez tous les ingrédients de la sauce et versez le mélange dans le wok. Faites sauter 2 minutes, jusqu'à épaississement.

Retirez le wok du feu et incorporez les vermicelles, le tofu et les germes de soja. Décorez de coriandre et des oignons de printemps restants.

nouilles sautées à l'indonésienne

Pour **4 personnes**

400 g de **nouilles fraîches**
aux œufs
2 c. à s. d'**huile d'arachide**
4 **échalotes** hachées
2 gousses d'**ail** pilées
1 petit **piment rouge**
en très petits dés
200 g de **filet de porc**
émincé
200 g de **blancs de poulet**
émincés
200 g de petites **crevettes**
crues décortiquées
2 feuilles de **chou chinois**
ciselées
2 **carottes** coupées
en deux et émincées
100 g de **haricots verts**
60 ml de **ketjap manis**
1 c. à s. de **sauce de soja**
claire
2 **tomates** pelées,
épépinées et hachées
4 **oignons de printemps**
émincés en biseau
sel et **poivre noir** du moulin
1 c. à s. d'**oignons frits**
persil plat

Faites cuire les nouilles 1 minute dans une casserole
d'eau bouillante. Égouttez-les et rincez-les sous l'eau
froide.

Versez l'huile dans un wok préchauffé et faites revenir
l'échalote 30 secondes. Ajoutez l'ail, le piment et le
porc et laissez cuire 2 minutes à feu vif, en remuant,
puis incorporez le poulet et poursuivez la cuisson
encore 2 minutes.

Quand le poulet est bien doré, ajoutez les crevettes
et faites sauter 2 minutes. Incorporez le chou, la carotte
et les haricots et laissez cuire 3 minutes, puis ajoutez
les nouilles et faites revenir à feu doux 4 minutes,
en remuant délicatement le mélange pour éviter que
les nouilles ne se cassent. Versez le ketjap manis et
la sauce de soja, ajoutez les tomates et les oignons
de printemps. Laissez cuire 1 à 2 minutes.

Salez et poivrez. Décorez d'oignons frits et de persil.
Servez aussitôt.

Ce plat, appelé bahmi goreng en Indonésie,
se déguste traditionnellement avec des cacahuètes
grillées concassées et du sambal oelek.

risotto aux petits pois

Pour **4 personnes**

20 g de **cèpes** déshydratés
1 l de **bouillon** de légumes
2 c. à s. d'**huile d'olive**
1 c. à s. de **beurre**
1 petit **oignon**
  finement haché
2 gousses d'**ail** pilées
385 g de **riz à risotto**
  (arborio, vialone nano
  ou carnaroli)
sel et **poivre** du moulin
250 g de **champignons**
  émincés
1 pincée de **noix**
  de muscade
40 g de **parmesan** râpé
3 c. à s. de **persil plat**
  finement haché

Faites tremper les cèpes 30 minutes dans 500 ml d'eau bouillante. Égouttez et réservez l'eau. Hachez les cèpes et passez le jus au tamis fin. Versez le bouillon dans une casserole, portez à ébullition, puis maintenez un léger frémissement.

Faites chauffer l'huile et le beurre dans une sauteuse à fond épais et faites fondre l'oignon et l'ail. Ajoutez le riz et baissez le feu. Salez et poivrez, puis mélangez bien. Incorporez les champignons frais et la noix de muscade. Rectifiez l'assaisonnement et laissez cuire 1 à 2 minutes, sans cesser de remuer. Ajoutez les cèpes avec leur eau de trempage, augmentez le feu et continuez la cuisson jusqu'à ce que tout le liquide soit absorbé.

Mouillez avec une louche de bouillon et faites cuire à feu moyen, en remuant constamment. Quand le bouillon est absorbé, recommencez l'opération. Continuez à mouiller ainsi environ 20 minutes, jusqu'à ce que le riz soit crémeux. Retirez la casserole du feu et incorporez le parmesan et le persil. Rectifiez l'assaisonnement et servez aussitôt.

nouilles au tofu et au porc

Pour **4 personnes**

450 g de **tofu** ferme
coupé en cubes de 2 cm
375 g de **nouilles hokkien**
2 c. à c. de **farine de maïs**
1 c. à s. d'**huile d'arachide**
2 c. à c. de **gingembre**
finement haché
2 oignons de printemps
mincés en biseau
225 g de **porc** haché
1 ½ c. à s. de **haricots
noirs** salés rincés
et grossièrement hachés
1 c. à s. de **purée de piment**
1 c. à s. de **sauce de soja
brune**
125 ml de **bouillon** de volaille
1 c. à s. de **vin de riz chinois**
2 gousses d'**ail** pilées
poivre blanc du moulin
2 tiges d'**oignons
de printemps** émincées
½ c. à c. d'**huile de sésame**

Épongez le tofu avec du papier absorbant pour éliminer
toute l'humidité.

Placez les nouilles dans un récipient résistant
à la chaleur, couvrez-les d'eau bouillante et laissez-les
tremper 1 minute. Égouttez bien, rincez à l'eau froide
et égouttez à nouveau. Répartissez-les dans les bols
de service. Délayez la farine avec 1 cuillerée d'eau
dans un petit récipient.

Faites chauffer l'huile dans un wok et faites revenir
le gingembre et les oignons de printemps 30 secondes,
puis ajoutez le porc. Faites-le cuire 2 minutes avant
d'incorporer les haricots noirs, la purée de piment
et la sauce de soja. Laissez cuire 1 minute à feu vif,
puis versez le bouillon et le vin de riz. Ajoutez le tofu
et réchauffez le tout.

Incorporez la farine délayée et l'ail et poursuivez
la cuisson 1 minute, jusqu'à épaississement. Versez
la sauce sur les nouilles et poivrez. Décorez avec le vert
des oignons de printemps et arrosez d'un filet d'huile
de sésame.

Les haricots noirs salés sont des haricots de soja
noirs fermentés dans du sel. Rincez-les avant utilisation.
On les trouve en conserve, en bocal ou en sachets,
dans les épiceries asiatiques.

boulettes de riz farcies

Pour **10 pièces**

440 g de **riz à risotto**
(arborio, vialone nano
ou carnaroli)
1 **œuf** légèrement battu
1 **jaune d'œuf**
50 g de **parmesan** râpé
farine
2 **œufs** légèrement battus
chapelure
huile végétale pour la friture

Farce à la viande
1 **cèpe** déshydraté
1 c. à s. d'**huile d'olive**
1 **oignon** haché
125 g de **bœuf**
ou de veau haché
2 tranches de **jambon cru**
finement haché
2 c. à s. de **concentré**
de tomates
80 ml de **vin blanc**
1 c. à c. de feuilles
de **thym** séchées
poivre du moulin
3 c. à s. de **persil**
finement haché

Faites cuire le riz 20 minutes à l'eau bouillante.
Laissez-le tiédir, puis mélangez-le dans un récipient
avec l'œuf, le jaune d'œuf et le parmesan. Remuez
bien. Couvrez et réservez.

Préparez la farce : faites tremper le cèpe 10 minutes
dans l'eau bouillante, puis égouttez-le et pressez-le
pour en extraire toute l'eau. Hachez-le finement.
Préchauffez l'huile dans une poêle et faites revenir
le champignon et l'oignon 3 minutes. Incorporez
la viande et faites-la dorer en remuant sans cesse.
Ajoutez le jambon, le concentré de tomates, le vin,
le thym. Poivrez à votre goût. Laissez mijoter jusqu'à
ce que tout le jus soit absorbé. Parsemez de persil
et mettez à refroidir. Après avoir humidifié vos mains,
façonnez 10 boulettes de riz. Ouvrez-les délicatement
et garnissez-les avec 3 cuillerées à café de farce.
Refermez les boulettes en pressant délicatement pour
maintenir la farce. Roulez-les dans la farine, l'œuf battu
et la chapelure et mettez-les à refroidir 1 heure.

Versez de l'huile dans une sauteuse à fond épais,
jusqu'au tiers de sa hauteur, et faites-la chauffer
à 180 °C. Faites frire les boulettes en plusieurs fois,
jusqu'à ce qu'elles soient dorées. Égouttez sur du papier
absorbant et servez chaud.

annexe

table des recettes

soupes

plats classiques

pâtes

plats épicés

nouilles et riz